AlgaR
EDITORIAL

Existen unas *Propuestas didácticas* referidas a este libro que se pueden descargar
de forma gratuita desde la página web <www.algareditorial.com>.

La presente edición ha sido traducida con una ayuda de la Conselleria de Cultura,
Educació i Esport de la Generalitat Valenciana.

La traducción ha sido fruto de un proyecto colectivo en el que han participado los estudiantes
de la asignatura de *Traducción especializada catalán-español* de la titulación de Traducción e
Interpretación de la Universitat Jaume I: M. José Alba, Estela Alcalá, Alesio Alemany, Mar
Aranda, Marta Armengot, Manuel Armenteros, Laura Aroza, Ruth Ballester, Pilar Barberà, M.
Elena Barrachina, Jordi Belda, Félix Beltrán, María Benedicto, Carmen Borillo, Silvia Casanova,
Noelia Castaño, Cristina Colás, Zulema Couso, Ruth Checa, Mafalda de Eugenio, María del
Rey, Juan Díaz del Río, Victòria Escrig, Mª Carmen Estévez, Pau Fabregat, Elena Femenía,
Flavio Ferri, María Francisco, Sandra García, Cristina Gimeno, Sandra Gimeno, Natalia Giner,
Irene Gómez, Elena González, Blanca López, Mª Pilar López, Rosa López, Antoni Llorente,
Arantxa Mareñá, Eva Martí, M. del Carmen Martínez, Paula Martínez, Blanca Mateos, Victoria
Molina, M. Amparo Monfort, Nohelia Morales, Jorge Morales, Sergio Morales, Vanessa
Morales, Minerva Navarro, Paula Olivares, Lucía Ordaz, Natàlia Pascual, Paula Pascual, Yulema
Pedro, Carla Pérez, Patricia Pérez, Alicia Ramos, Sara Roca, Jessica Rodríguez, Raquel Rosel,
Isabel Ruiz, M. Teresa Sánchez, Marta Sánchez, Cristina Sanchis, María Sanchis, Beatriz
Santonja, Almudena Sanz, Lorena Sanz, Cristina Serrano, M. del Mar Serrano, Marta Serrano,
Sylvia Isabel Soler, Ainoha Soriano, Andrea Timor, Àngela Torralba, Marta Vayà, Elena Vélez de
Guevara, Juan Vera, M. José Vicent, Laia Vilanova, Ariadna Villarreal.

Título original: *Els dimonis de Pandora*
© *Silvestre Vilaplana Barnés, 1999*
Traducción: *Cristina García de Toro (coord.), 2006*
© *Algar Editorial*
  Apartado de correos, 225
  46600-Alzira
  www.algareditorial.com
Cubierta: *Julia Navarro*
Impresión: *Romanyà-Valls*

1ª edición: *abril, 2006*
ISBN: *84-96514-76-5*
DL: *B-15154-2006*

PAPEL ECOLÓGICO
TCF LIBRE DE CLORO

FOTOCOPIAR LIBROS
NO ES LEGAL

Los demonios de Pandora

SILVESTRE VILAPLANA

Traducción de Cristina García (coord.)

ALGAR
EDITORIAL

Los lugares que aparecen en la novela son, mayoritariamente, reales. No así los personajes. Cualquier parecido con la realidad es, como suele decirse, pura coincidencia.

1

La caída le lastimó las rodillas. Notó cómo se le entumecía la zona de la rótula y sintió la humedad viscosa de la sangre pegada a los vaqueros, pero no se detuvo ni un instante, no podía. Apretó con fuerza los dientes y siguió adelante. La cuesta era cada vez más empinada y la respiración más dificultosa, más dolorosa. Levantó la mirada y vio que la cima aún se encontraba un poco lejos. Aceleró. Algunas piedras se desprendían tras su paso y le hacían resbalar. A duras penas lograba mantener la verticalidad. No podía detenerse, el tiempo se acababa.

Miró hacia Poniente. El sol empezaba a ocultarse, apenas faltaban unos minutos para que el disco solar se perdiese tras la montaña, cuyos contornos se veían ahora disfrazados por el color anaranjado del astro. Lanzó un pequeño grito de rabia y corrió aún más deprisa. Tropezó de nuevo y volvió a levantarse. Esta vez se habían roto las asas de la mochila. Profirió una maldición, ahora tenía que llevarla con las manos. Miró hacia arriba y vio que la cruz que presidía la montaña estaba ya a escasos metros, pero era el tramo más duro, él lo sabía bien. Las líneas azules que marcaban el ascenso se tornaban cada vez más difusas, la luz era ya escasa. En lo alto, la cruz de hierro se alzaba majestuosamente, como una meta, como una frontera, observando toda la cuenca de la ciudad de Alcoy. Faltaban pocos metros de ascenso, el sudor le resbalaba por la frente y se mezclaba en algunas partes con la sangre de las rodillas y de las manos, provocada por las caídas.

Miró de nuevo hacia Poniente: ya no quedaba tiempo. En la última curva del ascenso, la respiración entrecortada se mezclaba con los sollozos de terror: sabía que no llegaría a tiempo.

Alcanzó la cima justo en el momento en que se ponía el sol. Durante un instante se quedó quieto, esperando. La noche había llegado. Miró la cruz y sus alrededores, no pasaba nada. Después sintió cómo se acercaban. Notó el murmullo confuso de la noche, y vio cómo, salidas de la nada, se aproximaban aquellas figuras oscuras, informes, inacabables. Figuras arrebatadas a los vientos que tenían un objetivo: su alma.

No perdió tiempo: sacó una pistola de la mochila. Apuntó en todas direcciones. Se sentía rodeado por las sombras y el sonido espeso de los infiernos. Había perdido. Miró al cielo: la noche, obscena, dejaba ver las primeras estrellas. Dio un grito y se metió la pistola en la boca. Apretó el gatillo.

2

Cuando el cardenal Tomasso Landolfi se levantó aquel día, encendió, como hacía siempre, el ordenador personal que descansaba en una mesita junto a su cama. Aquella mañana, en la pantalla, apareció el dibujo de un féretro sobre el que reposaba una rosa. Tomasso Landolfi supo en ese momento que, antes de que anocheciese, moriría. Pero era un hombre de costumbres fijas y no pensaba cambiarlas por nada. Era conocida por todos los miembros de la curia romana la proverbial puntualidad y la exactitud del comportamiento del jefe de Información Internacional del Vaticano. Eso, y su mal carácter, hacían de Landolfi una persona de pocos amigos, desagradable al trato. Y, quizá por eso también, evitaba las relaciones con las personas de su entorno y se sentía mucho más cómodo delante de los múltiples ordenadores que dirigía en la Stazione di Comunicazione Informatica, auténtico núcleo de la información de la Iglesia católica en todo el mundo.

El cardenal Landolfi rezó las oraciones matutinas y se dirigió, como cada día, a la Stazione. Allí le esperaba el padre Bontempi, un hombrecillo calvo y apolillado, que vestía una sotana polvorienta y tecleaba en el ordenador a una velocidad sorprendente.

Aquel día, sin embargo, no entró en su despacho directamente. Se quedó mirando la plaza de San Pedro a través de los amplios ventanales del edificio. Se fijó en todos los detalles de aquel paisaje que había aprendido a amar cada día de su vida en los últimos treinta años, desde que llegó al Vaticano procedente de un pueblecito de Sicilia. Lo miró todo, despidiéndose de cada cosa, porque sabía que aquél sería su último día. Después, se encerró en su despacho y encendió el ordenador. Tenía mucho trabajo y muy poco tiempo. Ellos lo habían descubierto y ahora ya no se podía hacer nada.

Se pasó la mañana recluido en su despacho, frente al ordenador, y hasta las dos del mediodía no abandonó el trabajo. Al salir, le preguntó al padre Bontempi si sabía a qué hora se ponía el sol. Éste lo miró sorprendido y dijo que, en esa época, hacia las siete y media. El cardenal miró el reloj y suspiró. Salió de la Stazione en silencio.

No saludó a nadie. Entró en el pequeño utilitario que gastaba para sus desplazamientos y se adentró en las concurridas callejuelas de Roma. Paseó por todo el barrio antiguo disfrutando por última vez de la ciudad, acompañado por el sonido molesto de los taxistas chillones y por decenas de turistas despistados hasta que sintió que la tarde tocaba a su fin. Entonces, se paró un momento en una ferretería y compró una cuerda. Después, dirigió el coche hacia su residencia. Cuando llegó, eran casi las siete de la tarde. La casa estaba toda en silencio. Fue hacia el aparato de música y colocó en la pletina el *Réquiem* de Mozart. A continuación, ató a la pesada mesa del despacho un extremo de la cuerda que había comprado. El otro extremo se lo anudó al cuello. Abrió la ventana. Cerró los ojos durante un instante mientras el *Réquiem* llegaba al *Confutatis*. Saltó.

3

La noche era cómplice. Oía el repiqueteo de los tacones de sus zapatos sobre la acera. No le gustaba e intentaba evitarlo, pero no podía. Irritado consigo mismo, pensó que se había equivocado de calzado, que tendría que haber cogido unas zapatillas de deporte y no aquellos condenados zapatos de calle que hacían un ruido de mil demonios.

En la calle no había nadie. Un viernes a las tres de la madrugada, la zona menos recomendable de la ciudad era un lugar poco transitado. Pensó que, dadas las circunstancias, sólo le faltaba que viniera alguien a atracarlo.

Se metió en un portal al oír acercarse a un par de jóvenes. Mientras se aproximaban a donde él estaba, notaba el olor de su propio sudor, el olor del miedo transpirado por su piel. Por momentos, dudaba de que todo aquello pudiera ser verdad, de que realmente estuviese a punto de hacer lo que iba a hacer. Oyó la voz ronca, ebria, de la pareja mientras se alejaba y pensó en la felicidad de aquellos dos borrachos o drogados. Ellos, al menos, no lo sabían.

Antes de salir, esperó hasta que los perdió de vista, después continuó. Cuando llegó al objetivo se quedó mirándolo. La enorme mole del edificio se levantaba en la penumbra, únicamente iluminada por una farola que había sobrevivido a las pedradas de los adolescentes del barrio. Miró a ambos lados: no vio a nadie. Se acercó al lateral del edificio. A poco menos de dos metros de altura había una ventanita de unos treinta centímetros. De la bolsa que llevaba, sacó un objeto alargado, como un bolígrafo. Con la punta, trazó una circunferencia en el cristal de la ventana y, después, con un ligero golpe, separó el círculo del resto del cristal.

Se le escapó de las manos y cayó al suelo. El estruendo que produjeron los cristales al chocar contra el suelo le pareció similar al de una bomba atómica, pero nadie advirtió nada. Sólo un gato salió disparado desde un cubo de basura. Esperó unos instantes mientras maldecía en silencio su torpeza. Sin embargo, no parecía que nadie se hubiera percatado del ruido. Después, más calmado, introdujo un cortafrío por el agujero practicado en la ventana y cortó el candado que la protegía. La ventana quedó abierta.

De un salto, se introdujo en la estancia. A pesar de sus cuarenta y cinco años y de una barriguita incipiente, se mantenía en bastante buena forma física. No sacó la linterna. Conocía el recorrido palmo a palmo y no quería que el destello alarmase a nadie del exterior. Subió la escalera lentamente, maldiciéndose por el ruido de los zapatos, hasta que llegó a donde quería. La sala sólo estaba iluminada por el tenue resplandor del piloto de emergencia. Pero él sabía que no podía entrar aún: todos los dispositivos saltarían. Se acercó al pie de la escalera y levantó una madera disimulada. Allí estaba el control de la alarma. Conocía la combinación, pero no la marcó. Sacó unas tenazas pequeñas y cortó dos cables. Ahora estaba seguro: la alarma no sonaría.

Entró en la sala y se detuvo delante de una vitrina. La conocía de memoria, la había visto cientos de veces, pero ahora, después de todo, la veía diferente, le parecía extraña. Cogió el cortafrío con las dos manos y golpeó con fuerza la vitrina. Los cristales se esparcieron por toda la sala. Miró durante unos segundos aquello que había ido a buscar y se preguntó cómo había podido llegar todo tan lejos, después de tanto tiempo. Suspiró y se guardó el objeto en la bolsa.

4

El timbre del teléfono, al principio, parecía parte de una pesadilla. La resaca de una noche de insomnio, otra más, no se había diluido, y los efectos de los somníferos se resistían a abandonar el sistema nervioso de Enric. Por eso, el teléfono sonó una y otra vez, hasta que, derrotado, sacó la mano de entre las sábanas y descolgó el aparato.

No habló, pero al otro lado del teléfono ya habían comprendido que escuchaba.

—¡Enric! Soy Joan, ¡despiértate! Ha ocurrido una desgracia.

Enric se sentía demasiado cansado como para despertarse rápidamente. Ya nada lo podía alterar, ya ninguna desgracia podía conmocionarlo. Echó un vistazo al reloj: eran las ocho y media de la mañana, demasiado temprano para un sábado, demasiado temprano para todo. Consiguió abrir la boca y soltar un taco. Su voz sonó pastosa, irreal.

—¿Qué quieres?

—Han encontrado muerto a Jaume Clos. Se ha suicidado.

Enric cogió un cigarrillo de la mesilla de noche y se lo encendió. Notó el áspero arañazo del humo quemándole la garganta y carraspeó levemente.

–¿Qué ha pasado? ¿Cómo ha sido?

–No lo sé. Lo han encontrado en la montaña del Preventorio, bajo la cruz, con un tiro en la cabeza.

La voz de Joan, el director del instituto, le pareció a Enric bastante afectada y se sintió mal. Recordó a Beatriu, su mujer. Ya hacía... treinta y tres días. Recordó también aquella llamada de teléfono, parecida a ésta. La voz impersonal de la policía anunciándole que su mujer había tenido un accidente, que acudiera lo antes posible al hospital, que estaba muy mal. Y la angustia, y el terror, y el dolor. No podía sentirse afligido por Jaume Clos, ya no le quedaba tristeza.

Intentó apartar estos pensamientos de su cabeza y contestó a Joan:

–¿Dónde estás? Dame media hora, voy a por ti y me lo cuentas.

La ducha de agua fría consiguió mitigar los efectos de los somníferos y despejar un poco la nebulosa de la cabeza de Enric. Cuando acabó, se miró al espejo. No le gustó demasiado lo que vio. Su rostro, a los treinta y cinco años, todavía era joven, a pesar de algunas arrugas que enmarcaban desvergonzadas los ojos y se aferraban a la frente. Pero los ojos ya no eran jóvenes, estaban viejos, cansados.

Se afeitó la barba que, después de tres días, daba a su rostro un aspecto aún más descuidado. Cuando acabó, salió a la calle. El tráfico fluido del sábado le permitió llegar en pocos minutos al instituto donde trabajaba. Joan le esperaba en la puerta.

Entraron en silencio al edificio y subieron la escalinata que conducía a la sala de profesores. Al entrar, ninguno de los dos pudo reprimir dirigir una mirada hacia el sitio donde solía sentarse Jaume Clos. Sobre su mesa, todavía descansaban algunos libros de mitología y griego que había estado utilizando en las últimas clases.

—Fue el jueves por la noche —comenzó Joan—, subió todo el camino hacia la cruz, parece que con rapidez, y allí se pegó un tiro en la cabeza. Al amanecer, unos excursionistas descubrieron el cadáver. No dejó ninguna nota ni ninguna explicación. La policía está investigándolo, pero parece claro el suicidio.

—¿Tenía familia? —preguntó Enric.

—No. He mirado su expediente y no tenía padres ni hermanos. La policía está buscando a algún pariente para poder comunicarle la muerte. De momento, como no encuentran a ninguno, me han avisado a mí. Y yo os he avisado a todos vosotros.

—¿Y dónde están los demás?

—No sé si va a venir nadie más. Ya sabes que los demás profesores no lo apreciaban demasiado... Contigo, por lo menos, hablaba.

Enric permaneció en silencio. La verdad es que tampoco es que él le tuviera un gran aprecio a Jaume Clos. Era un tipo extraño, introvertido, maniático. Ni el alumnado ni los compañeros lo soportaban. Enric era la única persona con quien, a veces, hablaba, y siempre eran comentarios banales sobre las actitudes de los alumnos o cosas por el estilo.

—Pasado mañana será el entierro —continuó Joan con un tono de voz más bajo—. Sinceramente, tú eres la última persona a quien habría querido llamar para decirle esto, ya lo sabes. Después de todo lo que has pasado...

Enric se encendió un cigarrillo e intentó esbozar una sonrisa que quedó poco convincente. El director continuó.

—No tengas prisa por volver. Lo importante es que te encuentres bien. Los chavales y todos te echamos de menos, pero entendemos que por ahora no quieras dar clase y continúes en excedencia.

Enric se lo agradeció, pero no tenía ganas de hablar de ese tema. Así que se despidió del director después de pedirle que lo mantuviese informado de todo lo que pasara.

Se volvió lentamente hacia casa. El día se estaba poniendo gris y las primeras gotas de agua ensuciaban los parabrisas de los coches. El tráfico empezaba a volverse denso y la carretera adquiría una tonalidad grisácea, húmeda, como aquel día, pensó Enric.

Entró en casa, cerró la puesta y se quedó allí parado unos instantes. No sabía qué hacer. Ahora nunca sabía qué hacer. Pensó en salir a dar una vuelta, pero no le apetecía. Pensó en salir a comer, pero tampoco tenía hambre. Se encendió un cigarrillo y, para distraerse, puso en marcha el ordenador. La pantalla indicaba la existencia de un *e-mail*. Cuando lo abrió se quedó sorprendido: era de Jaume Clos.

5

Cuando el despertador sonó, todavía estaba inquieto. El nerviosismo le había impedido pegar ojo en toda la noche. Sabía que aquella mañana se descubriría todo y auguraba un día lleno de policías y de preguntas, y pese a su intención de estar descansado y en buena forma, no había podido dejarse vencer por el sueño ni un solo instante en toda la noche.

Lo peor de todo era no saber dónde esconderlo. Se levantó de la cama de un salto y cogió la bolsa que había en el suelo. Era la misma bolsa que había usado la noche anterior. En su interior todavía se hallaba aquel objeto, aquello por lo que se había jugado su carrera de arqueólogo y, quizá, la vida.

Lo extrajo con sumo cuidado. Era un objeto de unos veinticinco centímetros por diez de largo. Extremadamente fino. Protegido por un cristal transparente blindado. Él lo conocía muy bien, lo había visto tantas veces, lo había estudiado tanto, y escondía un secreto tan terrible...

Cogió el objeto y lo colocó dentro de la cisterna del váter. Aquél era un escondite provisional, pero serviría mientras se le ocurría otro. Después, se vistió y se sentó al lado del teléfono a esperar.

No tardó demasiado en sonar, apenas media hora. Sonrió levemente, esperó a que sonara dos veces más y lo descolgó.

–¿Sí?

–¿Robert Costa?

–Dígame.

–Soy el comisario Moreno, de la policía. ¿Podría venir al museo lo antes posible? Necesito hacerle algunas preguntas.

–Claro que sí, pero... ¿qué ha pasado?

–Ha habido un robo. Por favor, venga en cuanto pueda y...

–¿Sí?

–No le comente nada a nadie.

Colgó el teléfono. Robert sintió que un escalofrío le recorría todo el cuerpo. No pudo evitarlo. Había llegado el momento de la verdad. Para darse ánimos, se dirigió al mueble bar y cogió una botella de coñac. La abrió y dio dos tragos largos con cara de asco. Después se fue al cuarto de baño y se lavó los dientes.

A pocos metros del museo, no advirtió nada extraño. Resistió la tentación de mirar hacia la ventana lateral y se dirigió directamente a la puerta principal. Desde fuera todo parecía normal. La diferencia la notó al entrar. Un policía le cortaba el paso. Cuando se identificó lo dejó pasar y le dijo que arriba, en el despacho del coordinador, le esperaban.

Subió enseguida, sin mirar nada. No quería que ningún gesto lo delatara, que ninguna mirada fuera mal interpretada, sentía latir su corazón a una velocidad de vértigo, sus sentidos totalmente alerta. Cuando llegó a la puerta del despacho, se detuvo un momento y respiró profundamente antes de entrar.

El coordinador, Miquel Subirana, le esperaba sentado en la mesa de su despacho. Era un hombre pequeño y corpulento, calvo, de buen carácter, siempre sonriente. Aquella mañana, en cambio, parecía hundido. Su rostro reflejaba toda la tensión que había acumulado, estaba pálido y se sujetaba la cabeza con las manos, con un gesto de incredulidad. De espaldas a la puerta, había un hombre de unos sesenta años, mal afeitado y con una voz nasal que identificó, automáticamente, con la del policía que le había llamado por teléfono.

—¡Robert, por fin! —dijo el coordinador al verlo entrar.

—¿Qué ha pasado, Miquel? ¡Estás blanco!

—Nos han robado. Esta noche...

No pudo continuar. Se hundió en el sillón y se cubrió la cara con las manos. El comisario retomó la palabra.

—Precisamente se lo estaba explicando al coordinador: han entrado por la ventana lateral, sin hacer ningún ruido. Han desconectado la alarma y se han llevado lo que querían. Sin duda, se trata de un equipo de auténticos profesionales, seguramente ladrones internacionales. Me aventuraría a decir que un mínimo de tres y un máximo de cinco. Un equipo preparado, motivado y experto.

Robert tuvo que taparse la boca para que no se le notara la sonrisa. El comisario y el coordinador lo atribuyeron a la sorpresa.

—¿Y qué se han llevado? —preguntó finalmente.

—La pieza más importante de la colección. El *Plomo de Alcoy*, un hallazgo único en el mundo —respondió el coordinador.

6

Al principio, Enric pensó que se trataba de una broma. Pero no podía creer que la poca sensibilidad de sus compañeros de profesión llegara tan lejos, y menos aún contra él. Cuando acabó de leer el *e-mail* pensó que estaba ante el mensaje de un perturbado y ante la clave de su suicidio. Imprimió el texto y lo leyó de nuevo.

Querido Enric:

Si estás leyendo este mensaje quiere decir que estoy muerto y que, si mi cadáver no ha aparecido ya, lo hará pronto. Seguramente estarás muy sorprendido, no sólo por la noticia de mi muerte, sino también por el hecho de que te llegue esta carta.

Sé que estás pasando por momentos difíciles. La muerte de un ser querido es algo terrible, y especialmente en tu caso, que sé lo mucho que querías a Beatriu. Pero créeme si te digo que esta desgracia tuya carece de importancia comparada con los hechos de los que yo he sido protagonista, y tú, a partir de ahora, el responsable.

Debería empezar por el principio, pero está ya tan lejos que, a veces, todo me parece irreal, y hasta confuso. Sabes que soy profesor de griego y cultura clásica y, además, un auténtico experto en todo lo que a la mitología se refiere. Quizá no haya sido nunca el mejor profesor del mundo, pero, eso sí, soy una de las personas que más sabe sobre los dioses clásicos.

Ahora tienes que abrir la mente y creerte todo lo que te voy a contar. Tal vez pienses que me he vuelto loco, pero todo lo que te digo es cierto. Supongo que conoces la historia de la caja de Pandora. Pandora fue la primera mujer sobre la Tierra, poseía belleza, sabiduría, talento, había sido creada por los dioses. Pero esta mujer iba acompañada de un regalo envenenado: una caja bellísima. Cuando se abrió la caja, de ella salieron todas las calamidades del mundo, todos los males que podían afligir a la raza humana (enfermedades, guerras, hambre, desgracias...), y se extendieron por la Tierra. Ésta es la visión que nos ofrece la mitología griega de la causa de los males. La mayoría de la gente ve esta historia como un cuento para contarles a los niños, pero detrás de esta leyenda se esconde una terrible verdad: la caja de Pandora existe y, cuando estés leyendo estas líneas, yo habré muerto por ella.

Dejando aparte la leyenda, poco sabemos sobre la procedencia de la caja. Aunque lo cierto es que tenemos muchos documentos que atestiguan la veracidad de su existencia. A lo largo del tiempo, muchos hemos sido los que le hemos seguido la pista a este objeto y los que hemos recogido información sobre su situación y su importancia. Quizá lo que te voy a decir ahora te parezca increíble, pero tendrás que tener fe en mis palabras si quieres vencer en la batalla que te espera.

Una vez abierta la caja, los males dominaron a toda la humanidad y, a partir de entonces, la injusticia, el egoísmo, la enfermedad y la muerte han reinado en el mundo. Mientras permanezca abierta, nunca acabará el mal. Si alguien consigue cerrarla, la paz y la felicidad volverán a la Tierra: el regreso al paraíso perdido.

Pero no es nada fácil. Los mismos males que salieron de la caja, la escondieron y la han protegido hasta hoy. Estos males han recibido diferentes nombres en las diferentes culturas, para que lo entiendas los llamaré demonios, porque lo son realmente, seres salidos del averno a los que has de temer como nunca hayas temido a nada.

También, de la misma manera, los hombres, desde la antigüedad, han buscado la caja para cerrarla, pero no es sencillo. A lo largo de la historia, la hemos buscado y le hemos seguido el rastro por ciudades, pueblos y valles del mundo entero. La caja es algo físico y los demonios la escondieron y la protegen. El escondite ha sido necesariamente el mismo desde el principio de los tiempos.

Varios hombres han intentado encontrarla y, para hacerlo, han dado la vida y, a veces, el alma. Si estás leyendo esto, yo habré sido uno de ellos... y espero haber perdido sólo la vida.

Ahora, te toca a ti sumarte a la búsqueda. Cuando uno de nosotros cae, es necesario que le pase el testigo a otro, al que considere indicado, para continuar el camino. Yo te he elegido a ti y sé que ha sido una buena elección. Los caminos hacia la caja de Pandora comienzan a estrecharse y estamos muy cerca. Nos faltan pocas claves para conseguirlo. Sé que, de momento, te doy poca información, pero cuando estés preparado y quieras saber más, acude al guardián de las viejas palabras y él te guiará.

Ya conoces los hechos y cuál es tu camino. Pronto ellos sabrán que eres uno de los elegidos. Teme a la noche, huye de la oscuridad. Irán a por ti, lo sabrán todo de ti e intentarán vencerte. Confía tan sólo en tu alma y no te dejes engañar. Protégete de las sombras y ten fe. Éste es el *símbolo de Pandora, él te ayudará a encontrar la solución.*

Jaume Clos

Enric se encendió un cigarrillo. Tenía la piel de gallina. Aquel maldito le había dejado una carta que parecía sacada de una película de terror. Reflexionó un instante, después descolgó el teléfono y llamó a la policía.

7

Robert Costa sabía perfectamente qué era el *Plomo de Alcoy*. La pieza principal del Museo Arqueológico de Alcoy gozaba de prestigio internacional y era uno de los mayores misterios de la arqueología.

Respondiendo a las preguntas del comisario, Robert informó de todo lo que se sabía sobre el Plomo. Le dijo que era una lámina grabada con un punzón por ambas caras, y escrita en un alfabeto similar al griego.

—Tiene una larga inscripción en lengua íbera que nunca ha sido posible traducir —explicó—. Fue hallado en el año 1926 en el santuario ibérico de La Serreta, a pocos kilómetros de Alcoy, en un lugar que se supone que estaba dedicado a una diosa, pero se desconoce qué diosa era.

—Entonces —preguntó el comisario—, si no saben nada del Plomo, ¿qué importancia tiene?

Robert y el coordinador se quedaron mirando el uno al otro. Si aquél era el policía que tenía que resolver el caso, nunca encontraría la pieza, pensó Robert aliviado. El coordinador, un poco ofendido, contestó:

—Este Plomo es importante, primero, por su antigüedad; segundo, por la calidad de la conservación; tercero, porque, si alguna vez se consigue descifrar, nos puede ofrecer muchas claves que nos ayudarán a comprender la historia del pueblo ibérico y, sobre todo, es importante porque es único en el mundo, casi misterioso.

—Así que, quiere decir —dijo el policía un poco inseguro— que su valor económico es bastante alto.

—El valor económico es lo de menos —le explicó el coordinador—. Esta pieza no tiene precio en el mercado, no se puede vender, no hay suficiente dinero en el mundo para pagarla. Lo que han hecho ha sido robar un objeto que es patrimonio de la humanidad.

El comisario no se atrevió a hacer más preguntas. Se quedó pensando un rato. Si era tan importante como decían, los periódicos se harían eco pronto y, si no podía resolver el caso, lo pondrían verde. Maldijo en silencio su mala suerte.

El comisario les pidió que estuvieran localizables por si tenía que preguntarles algo más, y se marchó. Mientras tanto, un equipo de expertos en robos analizaría las huellas y las marcas que los ladrones pudieran haber dejado.

El coordinador y Robert salieron del Museo. El policía de la puerta pensó que la tristeza que se reflejaba en su rostro se debía a la pérdida del objeto. Pero lo cierto es que Robert estaba preocupado por lo que pudiesen encontrar los expertos. Se despidieron con pocas palabras. Por motivos diferentes, ninguno de los dos tenía demasiadas ganas de hablar.

A medida que se aproximaba a casa, Robert iba poniéndose nervioso. Si los analistas eran capaces de descubrir algo que lo relacionara con el robo irían a por él, y ya tenía bastantes problemas. Tenía que pensar rápidamente en un escondite para el Plomo. No podía seguir a la vista de todos, si no, *ellos* podrían descubrir el secreto que escondía y destruirlo. Tenía que ocultarlo en algún lugar seguro hasta que encontrara ayuda, si es que alguien se la podía ofrecer.

De repente se le ocurrió una idea. Al principio le pareció un disparate, pero cuando reflexionó un poco más, sonrió. Estaba claro. Era genial.

Entró rápidamente en casa y buscó el Plomo. Respiró hondo cuando su mano húmeda lo sacó de la cisterna. Aquél había sido un buen escondite, pero no podía ser el definitivo. Se dirigió al armario y cogió lo que necesitaba. Después se puso ropa cómoda para caminar. La distancia era un poco larga y tenía que estar preparado. Cogió el coche y se adentró en las transitadas calles de la ciudad. A aquellas horas, el tráfico empezaba a ser ya denso.

8

Cuando el comisario Moreno llegó a la comisaría, le esperaban dos periodistas. Su primera reacción fue echarlos de allí con cajas destempladas, pero después recordó todo aquello de la libertad de expresión y la democracia y aceptó, con desgana, que le hiciesen un par de preguntas. Los periodistas, informados del robo por fuentes fiables (es decir, por el portero del Museo), lo asaltaron con preguntas referidas a la investigación. El comisario se dio cuenta de que no podría conseguir que el caso se silenciara, así que se hizo el amable con la prensa, pero no les dijo nada con sentido, porque, realmente, tampoco sabía nada.

Cuando entró en su despacho y el ayudante le dijo que un tal Enric Soler, profesor y compañero de Jaume Clos, quería hablar con él porque tenía alguna información sobre el suicidio del día anterior, se dejó caer en el sillón, vencido. ¿Por qué le tenía que pasar a él todo eso? Y, además, cuando le quedaba casi nada para jubilarse. Se encendió un Ducados y sacó una petaca del primer cajón de la mesa. La abrió y se tomó un par de tragos, largos, muy muy largos.

Después, resopló sonoramente y le dijo al ayudante que llamara por teléfono a aquel profesor de la narices.

—¡A ver qué cojones quiere!

Dos horas más tarde, Enric esperaba fumando en una sala contigua al despacho del comisario Moreno. En las manos llevaba una copia de la carta que le había enviado Jaume Clos. Tuvieron que pasar treinta minutos hasta que un policía lo condujo ante el comisario.

A Enric no le gustaba demasiado aquel lugar, ni el comisario tampoco. No era sólo porque le había molestado tener que esperar media hora para que lo recibieran, sino por aquel aire ramplón que tenía el comisario y que le disgustaba tanto. Y el despacho tampoco contribuía a aumentar la confianza en el policía: paredes mal pintadas, olor a cerrado y una bandera española, con la aguilita bordada en el centro, presidiendo la mesa. La antipatía fue mutua a los pocos segundos de hablar.

—Así que ésta es la carta que le ha enviado —dijo el comisario después de leerla—. La verdad es que estaba como una regadera, el cabrón.

—Preferiría que se ahorrara los adjetivos —dijo Enric—. Era un enfermo y, en cierto modo, amigo mío.

El policía se quedó mirándolo. Aquel profesor con pinta de sabelotodo le irritaba. Llamó por teléfono delante de él al forense para saber si ya tenía los resultados de la autopsia de Jaume. El patólogo le dijo que no había nada extraño en el cuerpo sin vida del señor Clos, que la causa de la muerte era, sin duda, el disparo en la cabeza. Había muerto al instante. La trayectoria de la bala indicaba que había sido disparada desde la boca. Así pues, todo apuntaba hacia el suicidio.

El comisario se despidió del médico y le agradeció a Enric su colaboración. A falta de localizar a algún familiar que se hiciera cargo del cadáver, para el comisario era un caso cerrado. Enric salió de la comisaría.

El comisario Moreno estaba de mejor humor. Al menos dejaba resuelto uno de los casos. Cogió los papeles que le había dado Enric y los metió en la carpeta con los documentos de Jaume Clos, mientras pensaba en lo tarados que están los profesores. ¿Cómo tenían que salir los niños? La carpeta se quedó encima del archivador, a la vista de todos. De todos.

9

Ahogó un grito y se incorporó. Cuando empezó a tomar conciencia de dónde estaba, se dio cuenta de que se encontraba en la cama, completamente sudado y con las manos crispadas aferradas a las sábanas. Por la ventana, medio abierta, se filtraban los primeros rayos de sol. Enric miró el reloj de la mesilla de noche y vio que eran las siete y media. Calculó que apenas había dormido cuatro horas. Encendió un cigarro y se volvió a tumbar, más relajado. Se lo fumó entero, intentando no pensar, pero no podía. Por su cabeza desfilaban imágenes de su amada, las mismas de siempre. Aquellas imágenes que le provocaban aquella pena honda donde se encontraba tan a gusto. Esta vez, a las imágenes se sumaba la presencia de Jaume Clos. ¿Cómo podía haber convivido al lado de un loco y no haberse dado cuenta? ¿Desde cuándo estaba mal de la cabeza? ¿De qué habría sido capaz?

Sabía que aquel día iba a ser duro, por la tarde enterraban a Jaume Clos, e ir al cementerio le traería muchos recuerdos. Sabía que le haría sufrir.

Cuando acabó de ducharse se vistió y se dirigió a la cocina. Abrió la nevera y la cerró. No había nada decente para desayunar. Bajó a la calle y compró pan y algunas otras cosas. Después se acercó hasta el quiosco y compró el periódico.

Volvió a casa y preparó café a la vez que se encendía el cuarto cigarrillo del día. Mientras desayunaba leyó el periódico esperando que saliera alguna noticia de la muerte de su compañero. En la primera página se hablaba del robo de una valiosísima pieza del Museo Arqueológico de Alcoy. Enric pasó de página y buscó alguna referencia a Jaume Clos. Sólo aparecían las esquelas del instituto y una breve referencia al cadáver encontrado en la cima del Preventorio. La policía tenía la certeza de que se había suicidado, porque habían encontrado una carta de despedida que había enviado a un amigo suyo. Nada más.

Enric suspiró. De hecho, prefería que no se divulgase más la noticia de la muerte de Jaume. No quería que la gente la convirtiera en un tema de cotilleo. Todo estaba bien tal y como estaba y aquella tarde, cuando lo enterraran, todo acabaría.

Volvió a su despacho. No le vendría mal ordenarlo un poco. Por todas partes había papeles amontonados, libros abiertos y escritos dispersos. Enric recordó su vida de antes del accidente. Quizá algún día tuviera que hacer frente a lo que le quedaba por delante. Encima de todos los papeles estaba la copia del mensaje que le había enviado su compañero. Lo cogió y lo volvió a leer. Continuaba impresionándole.

Tristemente, pensó en lo que le debió de pasar por la cabeza a Jaume en el momento de escribirlo. Y, de repente, se dio cuenta de un detalle. Jaume había muerto el jueves por la noche. Los excursionistas habían encontrado el cadáver el viernes por la mañana y él había recibido el mensaje el sábado. Aquella carta no la podía haber enviado Jaume: o era falsa o alguien la había enviado por él después de muerto.

10

El ataúd iba delante. El leve chirriar de las ruedecitas que lo transportaban se aferraba al corazón de Enric. Todavía era demasiado pronto para volver al cementerio. Sólo habían pasado unos días desde la muerte de Beatriu y no se sentía preparado para volver.

La comitiva era escasa. Sólo acompañaban al féretro Enric, el director del instituto y dos compañeros más, dos profesores que se habían sentido impresionados por la triste muerte de Jaume, y que acudieron al entierro con cierta desgana. Pero no se pudo localizar a ningún familiar.

Enric pensó que debía de ser muy triste morirse sin amigos. Ahora se sentía mal por no haberle hecho más caso a Jaume. Quizá necesitaba a alguien con quien hablar y él, como todos los demás, le rehuía. Miró a derecha e izquierda, quería ver si algún desconocido observaba la ceremonia, alguien que pudiera ser la persona que le había enviado el mensaje, pero, exceptuando a un par de viudas con flores, no había nadie en todo el cementerio. Más tarde tendría que volver a hablar con la policía. Quizá aquello no fuera realmente un suicidio, sino un asesinato.

El resto del entierro también transcurrió en silencio. Un silencio roto únicamente por el trabajo de los sepultureros que colocaban el ataúd en el nicho y lo cubrían con ladrillos. Después, abandonaron el cementerio. El director y Enric se despidieron de los otros dos compañeros y se quedaron hablando.

—¿No has ido a verla? —dijo el director mientras señalaba con la cabeza el lugar donde se encontraba la tumba de Beatriu.

—No, aún no me siento capaz... —murmuró Enric mientras se encendía un cigarrillo—. No sé si podré hacerlo nunca.

—Y ahora, además, la muerte de Jaume... Me he enterado de lo de la carta. No sé por qué tuvo que involucrarte a ti. Le podía haber enviado la carta a cualquier otro. A lo mejor sí que estaba mal de la cabeza.

—En realidad no creo que la enviara él.

—¿Cómo que no?

—La fecha del envío y la de su muerte no coinciden. Jaume murió el jueves por la noche y yo recibí la carta como muy pronto el viernes. No pudo ser él quien me la envió.

—¿Se lo has dicho a la policía?

—Pensaba ir ahora, cuando acabase el entierro –dio una calada al cigarrillo–. ¿Crees que alguien podría tener motivos para matarlo?

Joan se quedó mirándolo asustado. Negó con la cabeza.

—Eso lo tendría que investigar la policía, pero Jaume no parecía una persona de meterse en líos. Era un poco raro, pero no tanto como para que quisieran matarlo.

Enric se dirigió a la comisaría de policía. Cuando llegó le dijo al policía de la puerta quién era y a quién quería ver. Al comisario Moreno no le hizo mucha gracia cuando su ayudante le dijo que aquel profesor amigo del suicida del Preventorio quería verlo urgentemente. Y menos aún en aquel momento, en el que esperaba con inquietud los resultados del equipo de expertos que analizaban las marcas y las huellas dactilares del Museo Arqueológico.

Hizo esperar a Enric la media hora habitual y, finalmente, lo recibió con desgana.

—¿Qué le trae por aquí de nuevo?

Enric se lo explicó. El comisario hizo un gesto de fastidio. Para él, aquel caso estaba cerrado y lo que menos necesitaba era otro foco de investigación. ¡Como si no tuviera suficiente con el robo del Plomo!

–¿Y no sabe de dónde procedía el *e-mail*?

–No –respondió Enric.

Para disimular, tomó alguna nota en un papel y despidió a Enric lo más rápido que pudo. Cuando Enric salió, el comisario ojeó el papel y, después de pensárselo un instante, lo arrugó y lo tiró a la papelera. Para él aquel caso estaba cerrado, definitivamente cerrado.

11

Al principio fue como una sensación, como un presentimiento que, incierto, se le colaba en la mente. No quería darle crédito. Más tarde, a regañadientes, tuvo que reconocer que realmente se sentía observado, lo buscaban y estaban a punto de encontrarlo. Y él sabía perfectamente lo que eso significaba.

En aquel momento, Robert Costa ya no le tenía miedo a la policía, ni a la cárcel, ni a ningún tipo de tortura que su mente cansada pudiese imaginar. Lo que había temido desde el principio de su extraña aventura estaba a punto de suceder y sentía el miedo correr por sus venas a toda velocidad. Apenas eran las tres de la tarde. Había estado todo el día escondiéndose aquella sensación que le agobiaba, pero tenía que tomar una decisión ya. No le quedaba tiempo.

Fue al mueble bar y cogió una botella de whisky, el licor más fuerte que tenía, y se sirvió un vaso largo sin hielo. Se lo bebió de un trago, sintiendo cómo le quemaba el cuerpo por dentro. Agradeció el calor un poco doloroso que le provocó el brebaje y se sirvió otro. Al poco tiempo sintió la somnolencia amable del licor. ¡Tenía que tomar una decisión!

Se movía inquieto por la casa. Por lo menos, el Plomo estaba seguro en su escondite. Pero ahora tenía que pensar y ¡rápido! Por momentos se convencía de que todo aquello era una pesadilla, no era posible que le estuviera sucediendo a él. ¿Y si estaba enfermo? ¿Y si su cabeza le estaba jugando una mala pasada? Pero sabía que no, que aquello iba en serio. Si se lo hubiesen dicho hace algunos meses, no se lo habría creído de ninguna manera. Ahora sentía pena por él, por todo el mundo, pero sobre todo se sentía solo y asustado. Tenía ganas de llorar.

Respiró hondo un par de veces, no quería perder el control. Miró el reloj. El tiempo pasaba y tenía que tomar una decisión: la solución que no quería ni plantearse. Fue al ordenador, buscó un archivo que se llamaba «Plomo» y lo abrió. Lo miró. Allí estaba la clave de todo, el trabajo de toda una vida. No sabía qué hacer. No le podía enviar la información a nadie, sería su sentencia de muerte. Si lo habían descubierto a él, descubrirían a cualquiera que lo supiese. Al final, apretó algunas teclas y borró todo el documento. Quizá fuera mejor así. Ahora ya estaba todo decidido. Después buscó por el despacho algunos papeles, los quemó minuciosamente en una papelera metálica e hizo desaparecer las cenizas por el lavabo. Miró el reloj. El tiempo se acababa y aún le quedaba por decidir lo más importante.

No quería que le doliese. Fue al cuarto de baño y abrió el grifo del agua caliente. En pocos minutos la bañera se llenó. Cogió la botella de whisky y se la llevó al baño. Después, buscó en los armarios una cuchilla de afeitar. Rebuscó nervioso por todos los cajones. No encontró ninguna. Miró el reloj. El tiempo se acababa. Pegó otro trago de whisky directamente de la botella. ¿Por qué le tenía que salir todo mal? Fue a la cocina y cogió un cuchillo, el más afilado. Cuando volvió al baño, se desvistió. Pensó, por un instante, que tendría que dejar una carta, pero tampoco sabía qué poner y no podía contar la verdad. Miró el reloj por última vez. Se metió en el agua con el cuchillo en las manos. Cerró los ojos de dolor mientras se cortaba las venas de las muñecas. Después, introdujo los brazos en el agua. Los libros decían que esa era la muerte menos dolorosa, pero Robert no estaba seguro. Aún dio otro trago a la botella. Aquello, en teoría, tenía que durar poco. Cerró los ojos e intentó no pensar.

Pasaron unos minutos. De repente, los oyó. Ya estaban allí. Abrió los ojos. Miró hacia la ventana. La oscuridad del exterior le confirmó que la noche había llegado. Se sentía débil, pero aún no estaba muerto. Buscó el cuchillo a tientas. Ellos estaban frente a él, sentía su aliento de muerte, el alarido amargo de los infiernos, el ruido del dolor. Venían a por él. No le quedaba tiempo. Se tenía que dar mucha prisa o lo perdería todo. Por fin encontró el cuchillo. Lo cogió con las dos manos y, de un golpe, se lo clavó violentamente en el pecho.

12

Al día siguiente, Enric no tenía las cosas claras. No quería obsesionarse pero, de alguna forma, se sentía responsable. Aunque era imposible que el escrito lo hubiera enviado Jaume, para Enric no había duda de que lo había escrito el profesor de griego y de que el propio Enric era el destinatario. Por eso y, a pesar de todo, se sentía culpable por quedarse de brazos cruzados y no hacer caso de las palabras de su compañero. Pero es que, realmente, no sabía qué hacer.

El sonido del timbre de la puerta lo sacó de sus pensamientos. Era Joan Peris, el director del instituto.

—¿Qué haces tú por aquí? ¡Vaya sorpresa!

—Ayer me pareció que no te encontrabas muy bien y he venido a ver qué tal estabas.

—Estoy bien, gracias. El ambiente del cementerio me deprime un poco, pero hoy ya ha pasado todo. Gracias por interesarte.

—¿Al final fuiste a la policía?

—Sí, pero creo que no sacaremos demasiado en claro. Al comisario casi le molestó que le aportáramos una nueva pista. Creo que ni la seguirá.

—Pues no me extrañaría nada –dijo Joan–. ¡Si hasta han dejado de buscar a la familia de Jaume...! Esta mañana me han dado a mí las llaves de su casa para que disponga de sus objetos personales como quiera.

—¿Tienes que ir a su casa? –preguntó Enric.

—Sí, en parte he venido por eso también, por si quieres venir.

Enric se lo pensó un instante. Quizá no encontrara nada interesante allí, pero sentía que tenía que hacer algo y eso ya era un principio.

—Vale, iré contigo.

Jaume vivía en el centro de la ciudad. Era un piso viejo, de alquiler, que había alquilado hacía un par de años, cuando llegó a Alcoy. Las paredes de la escalera tenían humedades. Notaron el olor al subir. Vivía en el tercer piso. El ruido de la llave al girar en la cerradura resonó por toda la escalera. Enric y Joan se miraron en silencio. Abrieron la puerta.

El piso era pequeño y estaba un poco desordenado. Se notaba que Jaume vivía solo y no se preocupaba mucho de limpiar. La policía ya había estado allí, por eso no sabían a quién atribuir el desbarajuste, si a la investigación o al propio Jaume. En

48

su habitación encontraron la cama sin hacer, y en la cocina el fregadero lleno de platos y vasos sucios. Pero el desorden más importante lo encontraron en el despacho. Era, con mucho, la habitación más grande de la casa. Allí se amontonaban cientos de libros. Hacía tiempo que su volumen había superado la capacidad de las estanterías y ahora formaban pilas enormes encima de sillas o apoyados contra la pared. Enric estaba impresionado.

—Ya ves a qué dedicaba su vida —dijo Joan con ironía.

—Creo que habrá bibliotecas en el mundo con menos libros que los que tiene aquí Jaume —afirmó Enric mientras hojeaba algunos.

—La mayoría son antiguos. Tantas viejas palabras lo volvieron loco —comentó Joan.

—¿Cómo?

Joan lo miró sorprendido, Enric había hecho la pregunta casi chillando.

—He dicho que tantos libros viejos lo volvieron loco, ya sabes... como a Don Quijote.

—No. Has dicho viejas palabras. Jaume, en su carta, me decía también no sé qué del dueño o el guardián de las viejas palabras.

—¿Y adónde quieres llegar con eso?

—No lo sé... quizás... la mayoría de los libros que hay aquí son antiguos, es decir, libros que no se pueden encontrar en una librería normal, sino en una de viejo o en un anticuario. A lo mejor la carta hace referencia a un librero, ¿no?

Joan no estaba convencido del todo, para él la carta era una bobada. Enric, sin embargo, no podía evitar sentirse interesado. Al fin y al cabo, se la había enviado a él.

Enric se dirigió al ordenador de Jaume. Lo encendió y buscó en los archivos la carta que había recibido. No la encontró. Parecía como si hubieran borrado todos los documentos. Le resultó curiosa la pantalla de inicio, aparecía una tumba con una rosa roja encima.

–Fíjate en esto –le dijo Enric a Joan.

–¿Sigues pensando que no estaba mal de la cabeza? ¿Te parecen normales estas imágenes? Al final tendremos que dar gracias de que no matara a nadie.

Enric no contestó. Encendió la impresora y sacó una copia del dibujo. Allí no había mucho más que ver. Todos los documentos habían desaparecido.

Joan decidió que los libros, a falta de familiares que los reclamaran, los llevarían más adelante a la biblioteca del instituto. Del resto de pertenencias de Jaume se podía aprovechar el ordenador y poca cosa más.

Cuando salieron, Enric se fue a casa y buscó la carta de Jaume. Aquella historia era muy confusa y Enric no acababa de ver las cosas claras. ¿Quién sería el misterioso personaje que le había enviado el *e-mail*? Si era amigo de Jaume, ¿por qué no se hacía cargo él de sus paranoias? Cogió la carta y buscó el punto que había comentado con Joan. Decía así: «Sé que, de momento, te doy poca información, pero cuando estés preparado y quieras saber más, acude al guardián de las viejas palabras y él te guiará». La hipótesis del librero de viejo parecía acertada, pero no estaba del todo seguro. Cogió una guía telefónica. Había dos librerías de lance en Alcoy, y sólo una tenía libros lo suficientemente antiguos como para ser la que buscaba.

13

Para el comisario Moreno, aquél no era un buen día. El inspector provincial acababa de llamarle desde Alicante exigiéndole la rápida resolución del caso del *Plomo de Alcoy*. La filípica había hecho temblar el teléfono durante veinte minutos. Moreno se disculpaba con la excusa de los datos de los expertos, que todavía no habían llegado; pero el inspector no cedió, decía que estaba recibiendo presiones por parte de los políticos y de la prensa. Aquel caso no podía quedarse sin resolver porque peligraba más de una cabeza. A Moreno no le hizo falta preguntar cuál sería la primera cabeza que se serviría en bandeja de plata a la opinión pública.

Cuando colgó el teléfono, Moreno sentía la presión arterial golpeándole las sienes con rabia inusitada. Respiró hondo y se encendió un cigarrillo. Si no se resolvía aquel caso, peligraba su jubilación. Maldijo con toda su alma al inspector, a los ladrones, al Plomo y a toda la cultura mediterránea occidental. Después, más calmado, fue él quien empezó a abroncar a los demás.

La primera víctima fue el jefe del grupo de expertos de la policía. Después de diez minutos al teléfono acabó jurando por la memoria de su madre, todavía viva, que a primera hora de la tarde estarían los datos definitivos. La segunda víctima fue el policía que le traía el café del bar de la esquina. El policía había derramado una gota sobre la deteriorada mesa del despacho y casi tuvo que salir corriendo después de ser amenazado con patrullar de noche por el País Vasco. La tercera víctima no tuvo tanta suerte, no pudo salir corriendo porque lo acababan de detener acusado de robar en un supermercado y estaba esposado. Cuando acabó de hablar con él, Moreno, aunque sudado y con las manos enrojecidas, se sentía mucho más relajado.

Por la tarde, los problemas continuaron. Todavía no se habían recibido los famosos resultados de los expertos, cuando entró el ayudante del comisario en el despacho.

—Señor —dijo el policía—, han encontrado un cadáver en la calle Entença.

—¿Un asesinato?

—Bueno, no está claro. Puede ser un suicidio. Pero lo más importante es quién es el muerto.

El comisario abrió los ojos exageradamente. Otro problema, pensó.

—¿Quién coño es?

—Robert Costa, el conservador del Museo Arqueológico.

El comisario maldijo su suerte mientras se dirigía hacia el lugar de los hechos. Si aquello continuaba así no llegaría a la jubilación. Maldijo la ciudad e ironizó consigo mismo sobre la tranquilidad que se había imaginado para sus últimos años de trabajo.

Cuando entró en el cuarto de baño de Robert Costa sintió un escalofrío. No era habitual tener que enfrentarse a cadáveres así, y la visión de la sangre, con la bañera llena y goteando por el suelo el líquido color rojo oscuro, le impresionó. Dentro del agua, el cadáver no presentaba un aspecto más halagüeño. El cuerpo, totalmente desangrado, tenía un aspecto blanquecino que impactaba. En el centro del pecho, un cuchillo negro ponía el contrapunto de color a los desvaídos restos de Robert Costa.

—¿Quién ha encontrado el cadáver? —preguntó el comisario.

—La vecina de abajo —respondió el policía—. El agua se salía y subió a protestar. Como no contestaba nadie, se alarmó y nos llamó.

El comisario echó un vistazo a la casa. No había nada que indicara un robo. Ni siquiera la cartera, encima de la mesa del recibidor, había sido tocada. Pero tampoco había ninguna carta de despedida que indicara claramente que aquello era un suicidio. Recorrió todas las habitaciones de la casa. No encontró nada raro. No habían forzado la puerta, tampoco las ventanas presentaban daño alguno, además, era poco probable que alguien entrara a un quinto piso por la ventana. Tras recorrer toda la casa, se dio cuenta de que allí no parecía que hubiera habido nadie, a excepción del propio Robert Costa.

Vio el ordenador y llamó a su ayudante para que comprobara si había algún mensaje. El comisario maldecía aquellas máquinas endemoniadas que no podía entender. Pero el policía no encontró nada en el ordenador que pudiera servir como pista del suicidio o del asesinato.

—Creo —dijo finalmente el comisario— que este tío se ha matado él solito.

—¿Y por qué? —preguntó el policía que le acompañaba.

—No lo sé. A lo mejor estaba deprimido porque le habían robado el hierro ese lleno de letras que no entendía nadie, o a lo mejor lo había dejado la novia... Vete tú a saber.

—¿Y por qué no esperó a morirse desangrado con las venas cortadas?

—No lo sé, igual tenía prisa por morirse y le daba miedo arrepentirse a última hora. Esperaremos el resultado de la autopsia y ya hablaremos —dijo el comisario mientras abandonaba la casa.

14

En la calle San Nicolás, en pleno centro de Alcoy, se encontraba la librería que buscaba Enric. Cuando llegó se sorprendió de lo pequeña que era. Una puerta polvorienta daba entrada, bajando un escalón, a un pequeño pasillo rodeado de estanterías atiborradas de libros, la mayoría antiguos. Al final del pasillo, una mesa destartalada hacía las veces de despacho y mostrador. Cuando entró, el librero apenas levantó la vista del volumen que estaba leyendo. Enric sí que lo miró. Era un hombre de unos sesenta años, con una barba blanquecina y gafitas redondas que descansaban haciendo equilibrios en la punta de la nariz. Su ropa parecía más antigua y polvorienta que los libros que llenaban aquel recinto.

Enric no sabía por dónde empezar. No podía plantarse delante de él y preguntarle si era el desconocido que le había enviado un *e-mail* de parte de un compañero suyo que se había volado los sesos en la montaña. Se sentía, incluso, un poco ridículo.

—Perdone —dijo—. ¿Me permite que le haga unas preguntas?

El viejo levantó definitivamente la vista del libro y, con un movimiento lentísimo, cogió un marcador y señaló la página en la que se había quedado. Después, miró a Enric y, finalmente, contestó.

—Tú dirás. ¿En qué puedo ayudarte?

—¿Conoce a un tal Jaume Clos?

El librero fijó la vista con más intensidad. Enric se sintió escrutado. Era como si la mirada del viejo lo traspasara y buscara en su interior para descifrar lo que había dentro.

—No lo sé. Aquí entra mucha gente, compran libros y se van. Yo no les pregunto su nombre y ellos tampoco me lo preguntan a mí.

—Era un hombre de unos cuarenta años, un poco calvo, profesor. Solía comprar libros antiguos, especialmente de griego y de temas mitológicos.

El librero continuaba mirándolo, parecía que iba a decir algo pero se arrepentía. Se pasó la mano por la barba, un poco nervioso, y dijo:

—No lo sé, quizá sí que me suene de vista. ¿Por qué me lo preguntas?

—Era amigo mío —el propio Enric se sorprendió al decir esto.

Se produjo un silencio un poco molesto. El librero no decía nada, sólo miraba a Enric, como esperando una nueva pregunta. Enric tampoco decía nada. No sabía realmente qué quería ni qué esperaba encontrar en aquella librería. Se sintió definitivamente ridículo.

—Lo siento mucho —dijo finalmente, y se dio media vuelta para salir de la librería.

Con la puerta abierta y a punto de irse, se le ocurrió una idea. Se giró de golpe y le preguntó al viejo:

—¿Le suena de algo el nombre de Pandora?

El librero palideció de repente. Su cara se transfiguró. Se levantó bruscamente de la silla y fue hacia donde estaba Enric. Abrió la puerta de par en par y miró a ambos lados de la calle. Cerró con llave, puso el cartel de cerrado y corrió una cortinilla para impedir que los vieran desde fuera. Después, cogió a Enric por el brazo y dijo:

—Acompáñame. Y, por favor, no vuelvas a pronunciar esa palabra en público. Podrías perder la vida... como mínimo.

Enric lo miraba con incredulidad. Por un instante pensó que el librero se había ofendido por su pregunta y que iba a atacarlo.

El librero lo cogió nuevamente del brazo y lo condujo hacia el fondo de la librería; una vez allí, apartó dos libros y se abrió una pequeña puerta, disimulada en la estantería del fondo. Le hizo una señal.

—Entra aquí. Tenemos que hablar.

15

De buena mañana, el trabajo se amontonaba encima de la mesa del comisario. Los resultados de los expertos hacía ya horas que habían llegado. El informe del forense, que poco a poco iba adquiriendo práctica en el arte de destrozar cadáveres, también estaba encima de la mesa. Además, dos peticiones de entrevistas para un periódico y, afuera, las cámaras de tres cadenas de televisión que querían unas palabras suyas. Aquel caso iba tomando cada vez mayores dimensiones. El morbo del último muerto había disparado la atención de los medios de comunicación. A todo esto se le sumaba el inspector provincial, que ya había llamado por teléfono tres veces y a quien los hombres del comisario esquivaban inevitablemente.

–¡Ya es la tercera que vacío esta semana! –pensó el comisario al añadirle al café unas gotas de whisky barato que guardaba en la petaca en el último cajón de la mesa–, y lo peor de todo es que no será la última.

No sabía por dónde empezar. Acostumbrado al escaso y monótono trabajo diario: atrapar ladrones de poca monta, propinarles una paliza y dejarlos en libertad; aquellos días estaban haciendo estragos a su úlcera.

Cogió las hojas del informe del robo en el Museo Arqueológico. Los datos concluían que había sido obra de una sola persona, de dos como máximo; así lo confirmaban las leves marcas de las huellas encontradas debajo de la ventana. El informe añadía que podía haber más personas involucradas que actuaran como refuerzo, pero que no habían entrado físicamente al Museo. El individuo que había burlado la seguridad era, según los expertos, un perfecto conocedor de todos y cada uno de los rincones del Museo. Seguramente, lo había visitado infinidad de veces y conocía a la perfección dónde se encontraba la alarma y lo que quería llevarse. De lo único que se preocupó fue del *Plomo de Alcoy,* y el trabajo fue rápido y limpio. El informe apuntaba la posibilidad de que el robo hubiera sido perpetrado por ladrones internacionales especializados en el tráfico de objetos de arte antiguos.

El comisario dejó el informe sobre la mesa. El grupo de expertos había llegado a las mismas conclusiones que él, pero días después. El comisario sonrió. Se sentía satisfecho, por lo menos en eso había acertado. Sería una buena noticia para la prensa, quizá debería llamar a la Interpol para que se hiciera cargo de la investigación a escala internacional. Eso, al menos, lo descargaría a él de trabajo.

El informe del forense, sin embargo, no le pareció tan concluyente. El médico decía que la víctima había muerto a causa de las heridas provocadas por el cuchillo encontrado en el pecho. Si éste no lo hubiera matado, en pocos instantes se habría desangrado por los cortes en las muñecas. La trayectoria del cuchillo le hacía asegurar al forense que lo más probable era que se lo hubiese clavado la propia víctima. Parecía un suicidio. Lo único extraño en la analítica era, además de una cantidad considerable de whisky, el alto nivel de adrenalina en la sangre, y esto era indicio de un gran nerviosismo o de un intenso miedo en los últimos minutos de vida.

El comisario reflexionó. Todo esto del suicidio no acababa de cuadrar. Es normal que una persona que ha decidido matarse tenga miedo; pero si era así, ¿por qué no se había echado atrás? ¿Y si le habían obligado a matarse? ¿Y si iba tras una pista para detener a los culpables del robo y éstos lo habían asesinado? ¿Y si era él mismo uno de los cómplices del robo? A pesar de las pocas ganas que tenía, decidió continuar investigando.

16

Enric y el librero entraron en una pequeña estancia con más polvo, si cabe, que en la propia librería. El librero, sin decir nada, se sentó en una silla y le acercó otra al visitante. Los iluminaba la tenue luz de una bombilla amarillenta que colgaba de un cable.

El librero parecía ahora muy nervioso. Por fin, preguntó:

—¿Dónde has oído ese nombre?

—Antes de morir, Jaume Clos me envió una carta en la que me recordaba la historia de Pandora y de su caja. Me decía que todo eso era verdad, que la caja existía y que estaba escondida.

—Es cierto —asintió el viejo cada vez más nervioso—. Pero ¿cómo has llegado hasta mí?

—En la carta también me decía que buscara al guardián de las viejas palabras y que él me guiaría. Cuando estuve en su casa, vi un montón de libros viejos. Pensé que cabría la posibilidad de que aquel guardián fuera la persona que se los vendía... y aquí estoy.

—No acabo de comprender por qué te escogió a ti —dijo el librero todavía inquieto—, pero ya es demasiado tarde para volver atrás.

Se levantó de la silla y dio una vuelta por la pequeña estancia. Enric lo seguía con la mirada. No sabía muy bien si había ido a dar con otro chalado, pero sentía curiosidad, quizá ahora conseguiría saber por qué había muerto Jaume Clos.

—Todo lo que te contó Jaume es cierto. La caja de Pandora existe. A lo largo de la historia, hemos sido muchos los que la hemos buscado para intentar cerrarla. Ahora, cada vez está más cerca, estamos más organizados y eso nos da fuerza y más posibilidades. Ellos cada vez lo tienen más difícil.

Enric lo miraba con cara de incredulidad mientras el librero daba vueltas por la habitación. Aquella era la misma historia que le había contado Jaume. Parecía que se había metido en una secta. El librero miró a Enric y entendió lo que estaba pensando.

—Tendré que empezar por el principio. No creas que soy un demente, ni tampoco que lo fuera Jaume. Tendrás que pensar en él como en un mártir. Fue muy valiente.

El librero suspiró y se sentó. Después de respirar hondo, continuó.

—Cuando los hombres se dieron cuenta del daño que había ocasionado la caja, empezaron a buscarla para cerrarla. Era una búsqueda dificilísima. Las fuerzas del mal la habían escondido bien y, poco a poco, iban extendiendo su dominio por toda la Tierra. Los hombres, con más voluntad que acierto, perdían la vida y a veces el alma en aquellas empresas. Para las fuerzas de las tinieblas era muy sencillo ir deshaciendo todos los grupos que buscaban la caja. Por eso, los hombres empezaron a organizarse. Se crearon equipos totalmente independientes, con pocos elementos de comunicación. Si uno de los miembros del grupo caía, toda la red se hundía, pero siempre quedaban otros grupos que también investigaban. Grupos que, como no eran conocidos, no podían ser delatados.

—¿No se fiaban los unos de los otros? —preguntó Enric.

—No podían conocerse; además, si cogían a uno, todos eran descubiertos.

—¿Por qué?

—¿Aún no te has dado cuenta? En esta empresa no se pierde sólo la vida... sino también el alma. Si se apoderan de tu alma, pasas a ser uno de ellos. Lo saben todo. Por eso, los buscadores entregan su vida antes de que las fuerzas del mal se apoderen de su alma.

—¿Quiere decir que...?

—Sí. Si mueres antes, puedes salvar el alma. Por eso Jaume se suicidó. Y, posiblemente, todos los de su grupo. No había otra solución.

A Enric aquella historia lo desconcertaba. Aquello no podía ser cierto de ninguna de las maneras.

—¿Y qué pinto yo en todo esto?

—Cuando uno de los buscadores está en peligro de muerte, debe intentar buscar a otro que lo sustituya para que la cadena no se rompa. Jaume te eligió a ti, y realmente no sé por qué, pero ahora ya no tienes escapatoria. Seguramente ellos ya estarán buscando quién es el sustituto.

—¿Y usted? Si sabe tanto, ¿no debería haberse matado también?

—En cada grupo hay un enlace, alguien que no sabe lo suficiente como para comprometer a nadie, pero que puede hacer de unión entre los buscadores... e introducir a nuevos buscadores. Éste es mi papel.

—Y, después de tantos años, si existe, ¿por qué nadie ha encontrado la caja todavía?

—No es tan sencillo. Creo que estamos cerca, probablemente Jaume tenía una pista importante cuando murió, pero ahora ya no lo podemos saber. Y, además, no se trata sólo de encontrar la caja, además hay que saber cerrarla.

—¿Qué quiere decir?

—La caja sólo se puede cerrar en unas circunstancias determinadas y con unas condiciones exactas.

—¿Cuáles?

—No las conocemos del todo. Hace muchos siglos un buscador consiguió averiguar la manera de cerrarla, pero fue descubierto y tuvo que suicidarse. Dejó escritas las condiciones, pero nadie las ha encontrado nunca. Se cree que el buscador las escondió cerca de la ubicación de la caja porque estaba a punto de descubrir el escondite. Aquella vez faltó poco.

Enric no sabía qué decir. No sabía si creerse una palabra de todo aquello.

—¿Y qué se supone que tengo que hacer yo?

El librero lo miró fijamente.

—Tienes que continuar. Jaume te dejó como heredero. Debes retomar la búsqueda donde él se quedó.

17

Después de llamar al inspector provincial para confirmarle las opiniones de los expertos y de pedir a su ayudante que enviara a la Interpol un informe detallado sobre el caso, el comisario Moreno decidió disfrutar por unos instantes de la fama que proporcionan los medios de comunicación y concedió una pequeña rueda de prensa para la televisión y una entrevista en exclusiva para el periódico local.

Se vistió de gala para la ocasión y, después de leer un breve comunicado, contestó a los periodistas con toda la simpatía de que fue capaz. El sonido de los flases le llenó de vanidad hasta límites insospechados. Después, un periodista local le entrevistó durante una hora y media sobre su vida privada. Al policía no le hizo ninguna gracia que le preguntara cosas ajenas al caso, sobre todo de su pasado, pero, dispuesto a dar buena imagen, no se resistió, y hasta se permitió el lujo de hacer alguna broma. La mañana le había salido redonda.

A pesar de todo, por la tarde, decidió investigar un poco sobre la muerte de Robert Costa. Había algo en aquel suicidio que no cuadraba. A primera hora, volvió al Museo Arqueológico. Desde el día del robo no se había abierto al público y en todas partes se podían observar los restos de los polvos utilizados por los expertos en la investigación. De todas maneras, la vida del Museo había quedado muy alterada desde que la pieza principal desapareciera.

Subió al despacho del coordinador. Miquel Subirana tenía el mismo aspecto triste de siempre. Para aquel hombre el golpe había sido muy duro. Por un instante, el comisario se preguntó si no acabaría suicidándose el coordinador también.

—Me imagino que está enterado de las últimas investigaciones —dijo el comisario.

—Sí, he leído la prensa. Por lo visto, las posibilidades de que encontremos el Plomo son casi nulas.

—Bueno, ahora el caso está en manos de la Interpol, la policía internacional. Esto queda fuera de mi jurisdicción, pero confío en que algún día lo encuentren.

—Entonces, ¿a qué se debe su visita? —preguntó Miquel Subirana.

—Quiero que me hable de Robert Costa. ¿Cree que existe alguna posibilidad de que estuviera implicado en el robo?

—Pero ¿usted qué se ha creído? —protestó el coordinador, indignado—. Robert era una bellísima persona y un auténtico enamorado del arte ibérico, seguramente el mayor experto en el *Plomo de Alcoy* del mundo. Estoy seguro de que si hubiera tenido más tiempo habría conseguido descifrarlo. Robert dedicó toda su vida a estudiar el Plomo, lo adoraba, habría sido incapaz de apartarlo de la vista del público.

—No se ofenda —dijo el comisario en tono conciliador—. Aunque él no haya sido el ladrón, ¿cree que lo podrían haber obligado a robarlo?

—No lo creo. Robert no tenía familia, para él lo más importante era el Plomo y creo que incluso habría dado la vida por él si hubiera sido necesario.

—¿Quiere decir que se ha podido suicidar porque han robado el Plomo?

—Desde que me enteré de que había muerto no he podido dejar de pensar en esta posibilidad. No estoy seguro, pero el robo del Plomo ha sido un golpe muy duro para todos, y para él el trabajo era su vida.

El rostro de Miquel Subirana reflejaba una gran desesperación. Al comisario le pareció que el coordinador también era capaz de cualquier disparate por aquel trozo de metal. Después de despedirse, abandonó el Museo Arqueológico.

También en aquel caso todo parecía indicar que había tenido razón desde el principio. Robert Costa se había suicidado por la depresión que le había provocado la desaparición del maldito Plomo. Caso resuelto.

—¡Vaya panda de tarados! —exclamó el comisario de camino a la comisaría.

18

Enric, aún confundido, descansaba en una butaca en su casa. La música de Bach acompañaba sus pensamientos. Todavía retumbaban en su cabeza las palabras del librero. No había acabado de decidir si aquella historia en la que se había visto involucrado era cierta o si era más bien un cuento chino que un grupo de chiflados había convertido en una obsesión.

En pleno siglo xx una leyenda de la antigüedad clásica parecía increíble, pero lo cierto era que, lo quisiera o no, lo creyera o no, él era uno de los personajes de aquella historia. Se sentía extraño. Pensó en lo que habría dicho de todo aquello su querida Beatriu y se entristeció un poco. Durante los últimos días, con tanto ajetreo, no había pensado tanto en ella. Quizá se estaba acostumbrando a no tenerla, a estar solo. Para apartar aquellos pensamientos, se entretuvo echándole una ojeada al periódico. Era un ejemplar antiguo. Hablaba del robo del Museo. La noticia de la desaparición del *Plomo de Alcoy*, explicada con todo detalle, ocupaba la mayor parte de las páginas.

En las fotografías aparecía el comisario Moreno, con una sonrisa forzada y ataviado con corbata. Declaraba que gracias a su ayuda se había llegado a la conclusión de que los ladrones pertenecían a una banda de delincuentes internacionales que estaban siendo buscados por la Interpol. En el margen, había una entrevista personal con el comisario donde se declaraba ferviente seguidor de Manolo Escobar, Sara Montiel y Camilo Sesto.

Enric sonrió. Aquel comisario parecía sacado de las catacumbas. Al pasar la página leyó la noticia de la muerte del conservador del Museo Arqueológico. Las fuentes fidedignas de los periodistas decían que parecía que se trataba de un suicidio. Por un momento, Enric pensó que aquel hombre podría formar parte de la red de Jaume Clos, pero se recriminó los pensamientos. Si continuaba así acabaría tan demente como ellos.

Dejó el periódico. Encendió un cigarrillo y se lo fumó lentamente. Quizá lo que debería hacer era denunciar a la policía a aquel hatajo de fanáticos. Pero, cuando lo pensaba, le venía a la cabeza la imagen del comisario Moreno, y ya sabía el caso que le iba a hacer el viejo policía.

Miró por la ventana. El sol iniciaba su declive y una fina llovizna empezaba a humedecer las calles. Recordó lo mucho que le gustaba a Beatriu caminar bajo la lluvia. Salió de casa. Dio un paseo por las calles, prácticamente desiertas. La lluvia fue empapándole la ropa y la cara de agua y de recuerdos de su amada. Cuando regresó a casa, tenía el rostro húmedo, no sólo por la lluvia.

Se duchó y se secó. Se sentó en el sofá y se encendió un cigarrillo. No tenía ganas de cenar, no tenía ganas de ver la televisión, no tenía ganas de nada... ni de vivir. Miró a su alrededor. Encima de la mesa todavía estaba el periódico, medio abierto. De repente, sus ojos se detuvieron en una de las fotografías. Se levantó de un salto. ¡No podía ser! Sintió mucho frío y notó que se le ponía la piel de gallina.

19

Se despertó inquieto. La tibia luz del alba se filtraba en finos trazos por el vano de la ventana. Miró a su mujer, que dormía con la respiración pesada, y se revolvió nervioso en la cama. La luz del despertador marcaba las seis y media. Aún faltaba media hora para que la voz familiar del locutor lo despertara con las desgracias habituales del día. Pero él se sentía inquieto. No quiso moverse demasiado para no turbar el sueño de su esposa, María, pero no podía evitar sentir un miedo extraño, como si lo estuvieran observando.

Así pasó la media hora que faltaba para las siete, y se sintió aliviado cuando, por fin, pudo hacer el ruido habitual de las mañanas. Besó a su mujer, como todos los días, y se levantó rápidamente. No le comentó nada, ni siquiera cuando, en la cocina, con el café, intercambiaban las primeras palabras del día.

En el coche, de camino al instituto, la sensación aumentó. Sólo se sintió un poco mejor en clase, explicando matemáticas. Aquellas dos horas pasaron rápidamente mientras intentaba hacer comprender a sus alumnos el maravilloso, repelente para ellos, mundo de los logaritmos. Después, tuvo que ir al despacho a cumplir con las obligaciones burocráticas propias de su cargo de director de instituto, y allí volvió a encontrarse mal. Una de las veces, hasta tuvo que abrir la puerta porque tenía la sensación de que había alguien detrás, observando. Sólo el viento, el vacío.

Cuando volvió a casa a comer, se lo comentó a su mujer. María le dijo para consolarlo, que seguramente serían los nervios, que habían sido unos días muy estresantes por la muerte de Jaume Clos, pero que, de todas formas, convenía que fuera al médico a tomarse la tensión. Después de comer, le preparó una tila.

Por la tarde, la sensación aumentó. Era como si unos ojos estuvieran mirándolo, como si una mirada oscura, obscena, lo observara con expresión maligna. Para distraerse, bajó al bar a tomarse una cerveza. El barullo del local no calmó la ingrata sensación de sentirse desnudo, indefenso. Cuando salió del bar, con tres cervezas en el cuerpo, empezaba a caer la noche. Estaba entrando en el portal de su casa cuando la oscuridad se apoderó definitivamente de la ciudad de Alcoy.

Mientras esperaba el ascensor los vio. No sabía de dónde habían salido, tal vez siempre habían estado cerca de él, como la sombra y la muerte. Oyó las voces del infierno y vio cómo extendían un manto de oscuridad en torno a él. Se quedó paralizado por el pánico. No intentó correr, no intentó escapar, no pudo decir nada, ni siquiera en el momento en que, entrando por el pecho, le arrebataban el alma.

20

Cogió una lupa para verlo mejor. En la primera página del periódico aparecía fotografiado un fragmento del desaparecido *Plomo de Alcoy*. No cabía la menor duda. Uno de los símbolos que aparecía en el Plomo era el mismo que Jaume Clos le había dibujado en la carta. El símbolo de Pandora.

Ciudad

DIARIO INDEPENDIENTE COMARCAL

Las investigaciones hablan de una banda internacional

Sin pistas sobre los ladrones del «Plomo de Alcoy»

F. Llòria/ Alcoy. Esta mañana, durante una rueda de prensa, el comisario Moreno ha informado a los medios de comunicación de las últimas investigaciones sobre el *Plomo de Alcoy*. El comisario ha afirmado que las pruebas periciales confirman que el robo ha sido obra de una banda de atracadores muy organizada, seguramente una banda internacional que opera por toda Europa especializada en obras de arte antiguas [...].

FOTOGRAFÍA DEL DESAPARECIDO *PLOMO DE ALCOY*

Para asegurarse, Enric cogió la carta y el periódico y los contrastó. El parecido era tal que no podía tratarse de una coincidencia. En los dos sitios aparecía el mismo símbolo, un rombo sostenido por un fino trazo. ¡Era el mismo signo!

Le vinieron a la cabeza diferentes posibilidades. Parecía evidente que el suicidio del conservador del museo estaba relacionado con la muerte de Jaume Clos. Tal vez, pensó Enric, eran del mismo equipo y se habían visto obligados a quitarse la vida. Quizá el conservador había sido asesinado: su extraña muerte podía ser la prueba. Quizá no quería suicidarse y lo obligaron a hacerlo...

Por la mente de Enric bailaban enigmas e hipótesis cada vez más raras y estrafalarias. Era ya muy tarde y no podía conciliar el sueño, sus pensamientos volaban una y otra vez hacia aquellos símbolos. Jaume Clos se lo había escrito: «Éste es el símbolo de Pandora, búscalo y él te ayudará a encontrar la solución».

Pensó, de nuevo, en acudir a la policía. Era evidente que los agentes estarían más preparados que él para descubrir la causa de aquellas muertes, pero tampoco sabía muy bien qué prueba aportar al comisario Moreno. Sabía que la simple coincidencia de unos garabatos no le parecería suficiente como para reabrir la investigación. Lo más normal era que el policía se lo tomara a risa. La única solución era ir a hablar con el librero. A lo mejor, si le sacaba más información, podría denunciar el caso.

Las horas pasaban lentamente dando vueltas y vueltas en la cama. Esta vez no quiso tomarse ningún tranquilizante. Las pastillas lo adormilaban y quería tener la cabeza despejada al día siguiente, cuando fuera a ver al librero.

Pudo, por fin, dormirse casi de madrugada. El cansancio consiguió vencerlo y tuvo unas horas de sueño pobladas de viejos y nuevos fantasmas, encendidas con el ardor doloroso de las pesadillas.

El teléfono lo despertó de golpe y lo liberó de la lucha con lo desconocido.

−¿Sí? −dijo Enric con voz ronca.

−¿Enric?

Conocía aquella voz femenina, pero no podía emparejarla con el rostro al que pertenecía. Hizo un esfuerzo para asignar una imagen a las palabras, pero la voz se le adelantó.

−Soy María, la mujer de Joan.

En la cabeza de Enric se encendió la alarma.

−¿Qué ha pasado?

Se oyeron lágrimas contenidas al otro lado del aparato.

—Joan ha muerto. Anoche le dio un infarto.

Enric se quedó en silencio. No sabía qué decir. Por su cabeza pasaron todos los buenos momentos que había compartido con su amigo y, especialmente, recordó los últimos días. Apenas hacía unas horas que había estado con él, y ahora...

Más tarde, al entrar en casa de Joan, se sintió angustiado. Pensaba que después de la muerte de su mujer ya no podría sentir más tristeza, sin embargo ver a María llorando le volvió a abrir las heridas no curadas todavía.

—¿Cómo ha sido? —le preguntó a María después de abrazarla y consolarla.

—Anoche, en el ascensor. Lo descubrió un vecino. Intentamos reanimarlo, pero era demasiado tarde, ya estaba muerto. Durante todo el día se sintió raro. Me dijo que era como si se sintiera vigilado, observado. Yo no le hice caso... y era la muerte, que lo miraba.

No pudo decir nada más. Volvió a echarse a llorar. Enric sabía cómo se sentía, él también había perdido a un ser querido hacía poco y sabía que había heridas que no pueden cicatrizar, nunca.

Entró a verlo. Mirar a su amigo muerto le produjo una pena inmensa. Joan yacía sobre la cama.

Todavía no lo habían vestido para enterrarlo. Llevaba una camisa y unos pantalones, probablemente la misma ropa con la que había muerto. A Enric le entraron escalofríos. Se acercó al cadáver y lo miró. Se fijó en el pecho de Joan, que se veía a través de la camisa un poco desabrochada. Vio algo extraño. Abrió un poco más la camisa y observó, justo en medio del pecho, una marca rosada, como una irritación. Pensó que quizá se lo hicieron cuando intentaron reanimarlo. No dijo nada.

21

Cuando se despertó, el comisario se sentía mal. Lo atribuyó a los excesos del alcohol, así que no hizo mucho caso. Los últimos días había estado bebiendo un poco más de la cuenta por culpa del puñetero Plomo. Desayunó en el bar de la esquina de la comisaría, un bocadillo y sólo una cerveza (no quería abusar), pero al volver al despacho continuó sintiéndose mal, tenía la extraña sensación de que alguien le miraba, y era como si estuviera desnudo. Se sentó en su sillón y, después de ordenar que no le molestaran, decidió echar una cabezadita. Pero no pudo dormir. Continuaba aquella terrible sensación. Echó un vistazo por el despacho. Por un momento pensó que a lo mejor había alguna cámara vigilándolo, pero todo estaba como siempre, igual que siempre.

Encima del archivador vio una carpeta. Para distraerse, se acercó a ver cuál era el caso que contenía. Se sorprendió al comprobar que era la del profesor suicida, no recordaba haberla dejado allí encima. Se la llevó a la mesa y la volvió a leer. Quizá sí que había algo extraño en aquella muerte, y él ni siquiera había ido al lugar de los hechos. Miró la hora: aún era pronto y hacía un sol radiante. Decidió ir a echar un vistazo a la cima del Preventorio.

El todoterreno de la policía llegó hasta la falda de la montaña.

—A partir de aquí hay que ir a pie —dijo el agente que lo acompañaba.

—¿A pieee?

—Sí, no hay otra forma de llegar hasta arriba... si quiere subir, claro.

El comisario farfulló unas palabras que su ayudante identificó claramente entre las maldiciones más obscenas, pero, a pesar de la gracia que le hizo, no se atrevió a reírse. No quería atraer su ira.

—Venga. ¡Subamos!

El ascenso fue un auténtico *via crucis* para el comisario. El exceso de tabaco y alcohol pasaba factura a cada paso. A pesar de que continuaba teniendo aquella extraña sensación, ahora sólo le preocupaba mantener el tipo ante su subordinado que, más adelantado que él, le esperaba cada pocos metros.

En todo el camino, marcado con líneas azules por los excursionistas, no abrió la boca. Solamente cuando llegaron arriba del todo, al pie de la cruz, se permitió malgastar oxígeno hablando.

—¿Dónde coño se voló los sesos ese imbécil?

El ayudante lo condujo cerca de donde estaban, casi al pie de la cruz, a una pequeña zona despoblada en la que, si te fijabas, aún se podía apreciar alguna marca de sangre.

El policía dio una vuelta por allí, pero no dijo nada. La brisa y el silencio que reinaban en aquel lugar daban tranquilidad de espíritu a todo el mundo. A todos, menos al comisario, que no podía librarse de aquella sensación de malestar. Tenía ganas de marcharse de allí.

—Aquí no queda nada que ver. ¡Volvamos!

La bajada fue más tranquila. Quitando un par de traspiés y algunos resbalones, el comisario llegó sano y salvo al coche. Sin embargo, en comisaría la sensación extraña fue en aumento, por eso decidió acabar la jornada temprano. A nadie le sorprendió. Era habitual que, el día que tenía menos ganas de trabajar de lo normal, lo dejara todo y se fuera a un bar.

Pero aquel día el comisario no se fue al bar, sino que regresó a su casa. Sentado en una butaca, empezó a preocuparse realmente por aquella sensación. Se acostó a dormir la siesta sin comer, pero apenas pudo cerrar los ojos. Cuando se levantó, tenía hambre y se fue al bar de abajo a tomarse unos vinos y un bocadillo. Allí se pasó un par de horas mirando una corrida de toros por la tele. Intentaba distraerse, pero no podía dejar de sentirse mal.

Por la noche, volvió a casa y encendió el televisor. En el instante en que cayó el último rayo de sol los vio llegar. Las huestes del infierno volaron hasta el comisario. Sus peores pesadillas se hacían realidad. El sonido de la muerte y el olor putrefacto de la descomposición lo invadieron todo. Sombras negras con los rostros de todos aquellos a quienes había enviado al olvido, volvían para llevárselo. Intentó correr, pero no pudo escapar. Gritó, pero no le sirvió de nada, su pecho se abría para dejarse arrebatar el alma oscura y detener el latido acelerado de su corazón.

22

Enric regresó del cementerio con el alma deshecha. Tampoco había visitado esta vez la tumba de Beatriu. Pensaba que nunca sería capaz de hacerlo. El dolor sería insoportable y prefería dejar que pasara el tiempo, forzar el olvido. Entró en casa lentamente, como si arrastrara un peso enorme, imposible. Sin embargo, a pesar de todo, quería recuperarse y tenía trabajo pendiente.

Cogió el recorte de periódico y una copia de la carta de Jaume Clos y se fue directamente a la librería. El viejo lo recibió sobresaltado y Enric se preguntó cómo podía vivir aquel hombre siempre con tal tensión.

—¿Qué pasa? —preguntó a Enric en cuanto éste cerró la puerta.

—Tenemos que hablar.

El librero hizo lo mismo que la vez anterior. Sin decir palabra, abrió la puerta y comprobó que no hubiera nadie afuera; después, puso el cartel de cerrado y corrió la cortina. Seguidamente, abrió la puerta que daba a la sala disimulada del fondo de la librería.

—¿Has descubierto algo? —preguntó el viejo.

—Quiero que vea una cosa. Me parece que he encontrado una relación entre la muerte de Jaume Clos y la del conservador del Museo Arqueológico de Alcoy.

Sacó el recorte de periódico y la copia de la carta de Jaume Clos. Primero, miró la carta. Enric veía cómo asentía con la cabeza a medida que leía. Después, observó el periódico.

—No cabe duda de que se trata del mismo símbolo. A lo largo del tiempo, los buscadores han utilizado diferente iconografía para referirse a la caja de Pandora. Éste es uno de los símbolos más antiguos, probablemente tiene más de dos mil años. Puede que Jaume Clos tuviera una pista seria, pero lo más importante es que aparece en este Plomo. ¡Tal vez ésta sea la pista definitiva para encontrar la caja! —gritó el viejo visiblemente alterado.

—¿Lo dice en serio? —dijo Enric con cierto tono de ironía.

El librero lo miró fijamente y, desesperanzado, se pasó la mano por el cabello, escaso y blanco.

—¿Sigues sin creerte nada, verdad?

Enric se sintió un poco avergonzado. La mirada profunda del viejo librero lo impresionó.

—Es difícil creerse este tipo de historias —se excusó—. Compréndame. Hace un par de días, yo no sabía nada de todo esto, y si me dejo guiar por la razón, todos me parecen una panda de chiflados y de fanáticos. A veces, hasta me dan miedo. Todo el que tiene alguna relación con Pandora muere. Además, en pleno siglo XX, estas historias suenan a cuentos de viejas.

—Si dudas, probablemente tú tampoco acabarás con vida. Nos enfrentamos al mal en estado puro, no a unos malos de película. ¿No lo comprendes? Tienes que ser fuerte y tener fe. Ellos seguro que ya estarán buscando al heredero de Jaume Clos y es evidente que ése eres tú. No puedes dudar, ¡te juegas la vida!

Las palabras del librero, lejos de tranquilizar a Enric, lo pusieron aún más nervioso. Todo aquello le superaba. No sabía qué decirle al viejo. El librero continuó después de resoplar y hacer gestos de dejar por imposible a Enric.

—Por otra parte, no creo que Jaume Clos y el conservador estuvieran relacionados, al menos directamente. Casi nunca actúan dos buscadores en el mismo lugar, porque eso facilitaría la destrucción del grupo. No acabo de entender qué pinta el conservador en esta historia. Tendremos que ir a echar un vistazo al Plomo.

—Pero —dijo Enric— en caso de que usted tenga razón y la solución se encuentre en el *Plomo de Alcoy*, tampoco podemos hacer nada. Lo han robado.

—¿Y no te resulta extraño? Es demasiada casualidad que hayan robado, precisamente ahora, un objeto en el que también aparece el símbolo de Pandora. No creo en la teoría de los ladrones internacionales. Aquí hay algo raro.

Enric pensó en el comisario Moreno. No es que tuviera especial confianza en el trabajo del policía, pero si no era obra de ladrones internacionales, ¿quién había cometido el robo?

—¿Cómo consultaremos el Plomo si ha desaparecido?

—Muy fácil —dijo el librero—, si en el periódico hay una fotografía de un fragmento, tiene que haber más. ¡Vamos!

23

La distancia que separaba la librería del museo no era excesiva, así que fueron a pie. El edificio del Museo Arqueológico de Alcoy se encontraba en uno de los barrios más antiguos de la ciudad. Al principio, ninguno decía nada. El silencio se hacía espeso. Enric pensaba y dudaba, su lado racional no quería creérselo y se autoconvencía de que si continuaba era para descubrir el entramado de aquella secta. Sin embargo, había una parte dentro de él que se había sentido muy impactada por las palabras del librero, una parte que empezaba a creer.

Llegaron a la puerta del edificio en pocos minutos. Preguntaron al portero si podían consultar alguna copia del *Plomo de Alcoy*. El portero respondió que no lo sabía y los envió al despacho del coordinador del museo.

Subieron la escalera que conducía a los despachos. Había dos puertas. En la primera, aún seguía el nombre de Robert Costa y el letrero de *Conservador del Museo*. La segunda correspondía al despacho que estaban buscando: Miquel Subirana, *Coordinador del Museo*.

Llamaron suavemente a la puerta.

—¡Adelante! —se escuchó desde dentro.

Entraron. Tras una enorme mesa de despacho, un hombre calvo y corpulento trabajaba en el ordenador.

—¡Buenos días! Ustedes dirán...

El librero tomó la palabra.

—Buenos días. Querríamos, si es posible, una copia del texto que contiene el *Plomo de Alcoy*.

Miquel Subirana hizo un gesto de dolor. Se veía claramente que aún estaba afectado por el reciente robo, y la consulta no hacía más que remover las heridas aún abiertas.

—Sí... bueno..., ya saben que hace unos días nos lo robaron. La policía aún está investigando su posible paradero, pero yo realmente no confío demasiado en volverlo a ver.

Mientras hablaba, el coordinador se había levantado de la mesa y se había ido acercando a un archivador situado al lado de la puerta.

—De todas formas —continuó—, tenemos algunas copias del texto.

Rebuscó durante un momento y sacó una fotocopia donde se veía claramente el Plomo. Era una reproducción a escala natural, que tenía marcadas las letras por delante y por detrás del Plomo. Le dio la fotocopia al librero. Éste la miró y se la mostró a Enric. Además de los símbolos de Pandora que habían aparecido en la fotografía del periódico, la misma figura se podía ver hasta tres veces más.

–¿Hay alguna traducción del texto? –preguntó Enric.

–Desgraciadamente no hay ninguna traducción definitiva. El Plomo era un auténtico misterio para los estudiosos del arte ibérico, porque está escrito con unos grafemas muy extraños, incluso para los mayores expertos en el tema. Sólo había una persona que podía haber sido capaz de traducirlo con el tiempo.

–¿Quién? –preguntó Enric.

–Robert Costa, el conservador del museo. Había dedicado su vida a la traducción del Plomo, pero desgraciadamente se ha suicidado. Supongo que habrán leído la noticia en los periódicos.

El librero y Enric asintieron con la cabeza. En el rostro del coordinador reaparecieron las marcas de la pena.

–Por tanto, es totalmente imposible saber lo que dice este maldito Plomo –dijo mirando el papel que acababa de darles.

–¿Y dónde está el trabajo de Robert Costa? –preguntó el librero.

IΘIKH·ΟΡΤΙ·ΓΑΡΘ·ΚΑΝ·ΔΑΘΥΛΑ·ΒΑϝΚ·
ΒΥΙΣΤΙΝΗΡ·ΒΑΓΑΡΘΚ·ϝϝϝϾ·ΤΥΘΛΒΑΙ
ΛΥΘΑ·ΛΗΓΥΕΗΓΙΚ·ΒΑΤΗΡΘΚΗΙΥΝΒΑΙΘΑ
ΥΘΚΗ·ΒΑΤΤΒΙΘΙΘΒΑΡΤΙΝϾΘΙΚΗ·ΒΑΤΗΡ
ΘΚΑΡ·ΤΗΒΙΝΘ·ΒΗΛΛΓΑϾΙΚΑΥϝ·ΙΤΤΒΙΝ
ΛΙ·ΑΤΓΑΝΘΙΤ·ΤΑΓΙΤΓΑΡΘΚ·ΒΙΝΙΚΗ
ΒΙΝϾΑΛΙΘ·ΚΙΘΗΙϾΑΙΒΙΓΑΙΤ·

ΙΥΝΜΤΙϝϝϾΑΛΙΡΓΒΑΜΙΡΤΙϾΤΑΒΑΘΙ
ΘΑΙΒΙϝΙΝΑΘΓΥΡϾΒΘΙϾΤΙΝΓΙϾΘΙΘ·
ΤΗΕΓΝΤΘϾΘΥΘΑΝΤΗΤΤΘΙΘΓΑΘΝΘΙΝ
ΤΗΘΑΙΚΑΛΛΝΑΛΤΙΝΓΗΒΙΘΥΘΝΘΙΝΙΛΘΥ
ΝΙΘΑΗΙΝΑΙΒΗΚΘϝΤΗΒΑΓΗΘΙΘΝΝ

El coordinador se quedó pensando unos instantes.

—Supongo que en su ordenador. Vengan conmigo. Lo comprobaremos.

Volvió a la mesa y sacó un manojo de llaves de un cajón. A continuación, los tres salieron del despacho y se dirigieron al despacho contiguo. El coordinador abrió la puerta y les cedió el paso. Era una habitación casi calcada a la de Miquel Subirana. Una mesa con un ordenador, un archivador y una estantería.

—Aún está todo tal y como él lo dejó —dijo el coordinador con tristeza—. No he entrado desde que murió.

Fue hasta el ordenador y lo encendió. Tecleó durante unos minutos.

—No encuentro nada. Es como si hubiera borrado todos los archivos que tenía sobre el tema. No sé lo que ha pasado. Quizá los tenga en su casa.

Enric y el librero se miraron. El librero tomó la palabra.

—¿Y cómo podríamos acceder a los documentos de su casa?

—Muy fácil: por Internet. Él a veces lo hacía desde aquí, accedía a los archivos que tenía en casa desde el despacho y viceversa. Esperen un momento.

El coordinador volvió a teclear durante unos instantes.

—¡Esto sí que es curioso! —dijo finalmente.

—¿El qué? —preguntaron a la vez Enric y el librero.

—He encontrado los archivos, pero todo el contenido ha sido borrado.

24

Enric y el librero volvían a estar en la pequeña habitación del fondo de la librería. Encima de la mesa descansaba la fotocopia de la fotografía del *Plomo de Alcoy.* Permanecían en silencio. Era evidente que, tal y como estaban las cosas, les daba igual tener o no la copia de lo que había escrito en el Plomo. Sencillamente, no podían descifrarlo, y así no les servía de nada.

Miquel Subirana, el amable coordinador del Museo, les había explicado que nadie en el mundo había estudiado suficientemente aquel resto ibérico como para poder descifrarlo. Con la muerte de Robert Costa, el secreto que escondía el texto había desaparecido con él.

Para animarse, Enric le comentó al librero que, por lo menos, los ladrones, si es que los había, tampoco serían capaces de desentrañar el significado del Plomo. El viejo no se tomó la molestia de contestarle.

Finalmente, el librero le dijo a Enric que se fuera. Era evidente que por ellos mismos no podrían descubrir el paradero del Plomo ni, menos aún, descifrarlo.

—Creo —dijo el librero— que es el momento de recurrir a algunos contactos. Posiblemente, esto es lo bastante importante como para hacerlo.

—¿Qué quiere decir?

—Ya sabes que yo sólo soy un punto de encuentro, quizá haya alguien que pueda ayudarnos. Sinceramente, creo que es el momento de arriesgarme y jugar fuerte.

—¿Y qué hago yo mientras?

—Nada, ya te avisaré si averiguo algo.

Aquella solución no contentó a Enric. El enigma del Plomo le despertaba tanta curiosidad como aquel mundo medio oculto en el que la mitología seguía viva y, ahora, le molestaba quedarse fuera. Los dos días siguientes los pasó inquieto. Cada vez que sonaba el teléfono se sobresaltaba y corría a cogerlo esperando alguna noticia del librero, pero nunca era él y, poco a poco, iba acumulando una sensación de pesadumbre y nerviosismo.

Al tercer día, ya no pudo más y se fue a la librería. Al llegar, observó sorprendido que la puerta estaba cerrada. No había ningún cartel que explicase el motivo. No había ninguna pista o noticia sobre el paradero del viejo. Preguntó en las tiendas de al lado, pero sólo le dijeron que hacía tres días que no había abierto la librería. No insistió más para no levantar sospechas.

Fue a visitar a María, la viuda de Joan Peris, el director del instituto. La tristeza de la mujer no contribuyó precisamente a levantar el estado de ánimo de Enric. Una tarde de lágrimas y recuerdos no era lo que necesitaba su espíritu apenado. De vuelta a casa, sentía la presencia de Beatriu a su lado, como si lo acompañara, tan presente como si estuviera viva.

Tuvieron que pasar dos días más hasta que el teléfono le trajo la voz apagada del librero. Enric ya empezaba a pensar que, quizás, encontrarían el cuerpo del viejo con un tiro en la cabeza o asfixiado en el interior de un coche; por eso, cuando escuchó su voz, sintió una sensación de alivio.

—¿Enric?

—Sí, soy yo.

—Ven esta tarde a la librería a las cinco. Te espero.

Ni una palabra más, ni una explicación. Enric miró el reloj. Faltaban siete horas para la hora acordada. Empezaba a estar más que harto de esperar.

25

Esta vez, el ritual de cerrar la puerta con llave, pasar las cortinas y abrir la puerta escondida al fondo de la librería ya no sorprendió a Enric. Ahora le resultaba hasta familiar, y por eso no se extrañó del silencio que reinaba entre ambos mientras el librero accionaba los mecanismos. Sólo después de cerrarlo todo, y de sentarse sobre las polvorientas sillas de la trastienda, Enric empezó a hablar.

—¿Dónde ha estado todo este tiempo?

—Eso es algo a lo que no puedo contestarte y, sinceramente, por tu bien, más vale que no lo sepas; lo que sí debes saber es que lo que hemos encontrado es muy importante.

Enric encendió un cigarrillo mientras el viejo continuaba.

—Es todo un poco complicado. Por lo que he podio saber, Jaume Clos seguía una pista bastante seria que conducía a estas tierras, por eso pidió el traslado a Alcoy. A partir de aquí, no sabemos con seguridad qué información seguía, ni hasta dónde llegó, ni siquiera si estaba en el camino correcto. Tampoco sabemos por qué eligió la cruz del Preventorio para suicidarse. Es un lugar un tanto extraño...

—¿Y cuál es el lugar adecuado para suicidarse? —preguntó Enric con ironía.

El librero le lanzó una mirada fulminante y no le contestó. Siguió con su historia, impasible.

—Aquí termina la información que he podido recoger sobre Jaume. Por lo que he podido averiguar, suponemos que envió el mensaje a alguno de su equipo para que te lo enviara a ti en caso de que pasara algo, y éste te lo remitió cuando se enteró de su muerte.

—¿Y el miserioso intermediario también se habrá suicidado?

—Sí, si cree que su alma está en peligro. No lo sé. Sea como fuere, esta pista está agotada. La parte más interesante de lo que voy a contarte se refiere al símbolo encontrado en el Plomo.

—¿El rombo? —dijo Enric muy interesado.

—Sí, este signo es, como ya te dije, una de las grafías más antiguas utilizadas para referirse a Pandora. Por otro lado, el coordinador del Museo Arqueológico tenía razón cuando dijo que nadie en el mundo era capaz de descifrar lo que está escrito en el Plomo. Y no sólo por la dificultad de la lengua íbera, porque sí que hay estudiosos en el mundo que pueden descifrar las grafías íberas. El problema es que el texto es imposible de entender. Parece escrito en código.

—¡Un código de hace dos mil años!

—Sí, es sorprendente, un código que hasta hoy no ha sido posible entender.

—¿Y para qué tendría que crear alguien un código sobre Pandora? —preguntó Enric.

—Muy sencillo. El propósito de quien lo hizo era que sólo lo entendieran los iniciados... Quizá estamos ante la clave para cerrar la caja de Pandora. ¿Te acuerdas de lo que te dije del buscador que encontró la manera de cerrar la caja?

—Sí —respondió Enric. Se acordaba perfectamente de la historia y se acordaba también de lo extraña e increíble que le pareció. Ahora, curiosamente, ya no se lo parecía tanto.

—Pues la época coincide.

El tono de voz del librero había ido aumentando de manera proporcional a la intensidad de la emoción que el viejo sentía por aquella historia. Enric no había podido evitar contagiarse de aquella excitación, y fumaba sin parar.

—Entonces, los iniciados sabrán descifrar el código.

—No. Tal vez hace dos mil años sí que sabían, pero ahora no hay nadie que conozca este código.

Enric hizo un gesto de desilusión, empezaba a perder la paciencia.

—¿Y qué importancia tiene que se trate de un mensaje de su buscador ibérico o no, si no podemos saber lo que dice?

—Bueno, existe una posibilidad de descifrar el Plomo.

Enric se quedó boquiabierto.

—¿Cómo?

El librero sonrió, quería alargar el momento. Se notaba que disfrutaba haciendo esperar a Enric.

—Sólo es una posibilidad, pero no tenemos nada más.

—¿Quiere hacer el favor de decirlo de una vez? —gritó Enric, que ya empezaba a enfadarse de verdad.

—¿Has oído hablar de la Stazione di Comunicazione Informatica?

Enric puso cara de extrañado y negó con la cabeza.

La Stazione di Comunicazione Informatica es el centro de comunicación más importante del mundo. Es tan importante como el Centro de Comunicaciones de la NASA. Allí se encuentran los ordenadores de última generación y de mayor potencia del mundo y, allí, tal vez, podrán descubrir qué dice nuestro Plomo. Están especializados en el tratamiento de textos antiguos: bíblicos, proféticos, etcétera.

—¿Y dónde está?, en Italia, supongo.

—En Roma, y más concretamente en el Vaticano.

—¿Y quiere decir que nos dejarán entrar y utilizar sus ordenadores?

—Nos esperan pasado mañana a primera hora. Mis contactos lo han arreglado todo.

26

Mientras el avión tomaba velocidad para iniciar el despegue, Enric se preguntaba cómo había llegado a aquella situación. Quizás, el hecho de no tener apenas tiempo de pensar hizo que se dejara convencer para acompañar al librero. No quería preguntarse por qué hacía todo aquello, sabía que no le gustaría la respuesta. Sencillamente, no lo hacía por Jaume Clos, sino por él mismo. De otro modo, no se podía entender que estuviese en un avión, rumbo a Italia, con el pánico que le daba volar.

A su lado, el viejo librero escuchaba las instrucciones en tres idiomas que la azafata, con entonación monótona, daba a los viajeros. Cuando se apagó el cartel de prohibido fumar, a Enric le faltó tiempo para encenderse un cigarrillo: no sabía cómo tranquilizarse. Minutos después pasó la azafata y Enric le pidió un whisky, el viejo lo miró sorprendido. No era normal beber whisky a las once de la mañana, pero no le dijo nada. El librero leía tranquilamente el periódico y, de vez en cuando, bostezaba.

Enric estaba cada vez más nervioso, el humo de los cigarrillos no conseguía calmarlo. Odiaba viajar en avión. Las pocas veces que había tenido que hacerlo se había pasado todo el trayecto nerviosísimo y había jurado que no volvería a volar si podía evitarlo.

Intentó distraerse pensando en otras cosas. Fue inevitable que sus pensamientos viajaran hacia los últimos acontecimientos que había vivido. Se preguntaba, en caso de que toda aquella historia no fuese una invención de un grupo de visionarios, a qué se estaba enfrentando.

—¿Quiénes son *ellos*?

El librero lo miró. No sabía de qué hablaba.

—*Ellos*, ya sabe... los demonios o lo que sea.

El viejo se aclaró un poco la garganta y permaneció unos instantes en silencio, parecía que estaba escogiendo las palabras que iba a utilizar.

—Sabemos que son espíritus, sombras en estado puro, oscuridad maligna que te domina y te roba el alma, pero también pueden ser como tú y como yo, seres humanos poseídos por el mal, cuerpos sin alma. Cuando la caja de Pandora se abrió, salió todo el mal, y este mal toma diferentes formas según la situación y la necesidad.

—Ya me ha dicho muchas veces lo de robar el alma. Pero ¿cómo pueden apoderarse del alma esos demonios y, para qué?

—Mira, todos los hombres tenemos un cuerpo y un alma, es decir, un espíritu donde se encuentra nuestra esencia, nuestra bondad... o nuestra conciencia, si así lo entiendes mejor. De eso es de lo que se apoderan.

—¿Y cómo?

—No lo sé exactamente. Siempre por la noche. Parece que entran por el pecho y se apoderan del alma. Los afectados mueren enseguida o pasan a ser uno de ellos. Sea como sea, les queda una pequeña mancha roja en el pecho, una marca que si no la buscas casi no se ve, pero que muestra claramente que han perdido el alma...

El viejo librero continuó hablando, pero Enric ya no le escuchaba. ¡La marca roja! Él había visto una marca roja en el pecho de Joan Peris y no le había dado importancia.

—...por eso es tan importante perder la vida antes de que los espíritus del mal... —el librero seguía con la explicación sin darse cuenta de que los pensamientos de Enric estaban muy lejos.

—Escúcheme un momento —la voz de Enric sonó cavernosa y excesivamente alta.

El viejo interrumpió sus palabras y lo miró sorprendido.

—¿Qué es eso de una marca roja en el pecho? —preguntó Enric.

—Cuando los espíritus consiguen el alma de alguien, lo hacen entrando por el pecho. Cuando el alma sale, deja una marca roja, apenas una rojez o una irritación en la piel: la marca del alma.

Enric se quedó un momento en silencio.

—Yo he visto esa marca —dijo al fin.

—¿Dónde? —se sorprendió el librero.

—En el pecho de Joan Peris, el director del instituto. Murió pocos días después del suicidio de Jaume Clos. Fui a su casa y vi, a través de la camisa medio desabrochada, una marca en el pecho. En aquel momento pensé que era consecuencia de los intentos de reanimación de los médicos después del infarto, pero al oír esto...

El librero, tras las palabras de Enric, se quedó pensativo unos instantes. Parecía profundamente impresionado.

—Todo encaja. Ellos pensaban que el nuevo buscador era Joan Peris, y fueron a por él. Puede que por eso Jaume Clos te eligiera a ti, nadie lo esperaría.

—Según su teoría, ahora el alma de Joan les pertenece, ¿no?

El librero asintió.

—Entonces, ahora ya saben que soy el elegido por Jaume Clos.

27

La impresionante plaza de San Pedro apenas despertó su interés. Era evidente que no habían ido a Roma a hacer turismo, sin embargo, después del descubrimiento del avión, a Enric todavía le quedaban menos ánimos para disfrutar del paisaje.

Cuando llegaron a la zona de despachos del Vaticano, se encontraron con un laberinto de estancias y controles policiales que sorprendieron a Enric. Cada pocos metros, la guardia suiza les hacía pasar por detectores de metales y les pedía papeles y pasaportes. El librero tenía documentos suficientes para abrir todas las puertas, pero eso no los libraba de los controles más estrictos.

Por otro lado, el librero parecía encontrar normal la lentitud del acceso y se permitía, incluso, bromear con los guardias de seguridad. Bromas en italiano que Enric, evidentemente, no acababa de entender.

Finalmente, les hicieron esperar unos minutos en una sala inmensa. Enric paseó por la estancia y observó los tapices que la cubrían. Representaban escenas de la *Divina Comedia* de Dante. Enric reconoció las figuras del infierno, y se preguntó si eso era lo que les esperaba.

—¡Veo que sabe admirar el arte!

La voz, casi rozándole la oreja, asustó a Enric. A su lado tenía a un hombre vestido con ropas eclesiásticas. Tenía unos sesenta años y era calvo. El cuerpo, delgado, tenía un aspecto enfermizo, tal vez producto de la piel amarillenta que lo cubría. Su acento apenas delataba el italiano materno.

—Son tapices de Domenico di Michelino, un auténtico maestro del Renacimiento, aunque poco conocido en comparación con los clásicos Miguel Ángel y Leonardo. A mí me apasiona. Parecen escenas casi reales, tienen fuerza, es como si las estuviésemos viendo en directo. Los tormentos del infierno tienen apariencia de vividos, son violentos, sangrientos.

—Sí —acertó a decir Enric un tanto inseguro—, son muy bonitos.

—Permítanme que me presente, soy el padre Bontempi. Espero no haberles hecho esperar demasiado. Vengan conmigo.

Los acompañó a través de una puerta lateral a la sala contigua. Ésta contrastaba totalmente con la que habían dejado. En este caso, la habitación se parecía más a una nave espacial. En las paredes se podía ver la potente maquinaria de los ordenadores y cientos de pequeñas luces de diversos colores. En medio de todo, tres teclados formaban un triángulo bajo una pantalla gigante.

–Éste es nuestro orgullo, el procesador TRV-76, único en el mundo. Los americanos de la NASA hace tiempo que intentan plagiarlo. Ni ellos mismos tienen uno tan potente –dijo el padre Bontempi con evidente orgullo.

Enric y el librero se habían quedado realmente impresionados ante aquel artefacto. Tuvieron que pasar unos instantes hasta que el librero reaccionó.

–Aquí tiene el documento –le dijo, al tiempo que le entregaba una fotocopia del *Plomo de Alcoy*.

El capellán lo cogió con cuidado y lo introdujo en un aparato similar a un escáner. Tecleó durante unos pocos segundos y, al instante, en la pantalla central, apareció el texto. Después, volvió a teclear durante un momento.

–Ya está –dijo–. Ahora sólo tenemos que esperar.

–¿Ya? –se sorprendió Enric.

–Tenemos que esperar a que la máquina procese y descubra cuál es la clave que se esconde tras el texto. Como nos habían avisado, hemos preparado el ordenador con toda la información sobre la lengua íbera que se conoce, y además le hemos introducido variables culturales de la época junto con las variables actuales. Esta máquina –dijo mientras acariciaba el teclado– es capaz de descubrir cualquier código que se esconda en un texto. Sólo es cuestión de tiempo.

–¿Cuánto tiempo? –preguntó el librero.

–Eso sí que no lo puedo saber. Tal vez una hora, tal vez cuatro, puede que un día entero...

Para aligerar la espera, el capellán les invitó a un capuchino que él mismo les preparó. Se sentaron los tres alrededor de una mesa, mientras en la pantalla del ordenador bailaban cifras, símbolos y letras a una velocidad de vértigo. Enric lo miraba embobado.

–Lo encontraremos, no se preocupe –dijo el sacerdote mientras les servía el café.

–Gracias, es muy amable –dijo el librero–. Pero no esperaba que fuese concretamente usted quien nos atendiese. Nuestros *amigos comunes* –dijo el librero resaltando la expresión– me dijeron que era el cardenal Landolfi quien se ocupaba de esta sección.

El capellán hizo un gesto de pena.

–Sí, así era, pero desgraciadamente el cardenal murió hace unos pocos días.

–¡Oh! Lo siento. No lo sabía. ¿Estaba enfermo?

El padre Bontempi dudó un instante.

—Bueno... no, fue un accidente lamentable. Se cayó por la escalera y se mató. Todavía no nos hemos recuperado de la pérdida.

En aquel momento el ordenador comenzó a emitir pitidos.

—¡Lo está encontrando! —dijo emocionado el capellán—. ¡Ha descubierto la clave!

28

El pulso de Enric se aceleró. Tenía la sensación de estar asistiendo a un acontecimiento importantísimo. Todavía tuvieron que pasar un par de minutos, que los tres vivieron con la máxima tensión, hasta que el ordenador imprimió un papel: el texto descifrado.

El padre Bontempi cogió el papel y sonrió. Después, se lo entregó ceremoniosamente al viejo librero.

El librero lo leyó rápidamente, con avidez. Enric seguía con impaciencia el movimiento de los ojos del viejo sobre el papel.

—¡Dios mío! —dijo al acabar de leerlo—. Hemos encontrado la clave para cerrar la caja de Pandora.

Enric casi le arrancó el papel de las manos. Lo leyó rápidamente. Cuando terminó le temblaban las piernas.

Yo, Albair, hijo de Nemrot, buscador de la caja de los males, escribo estas letras cuando sé que voy a morir. Hoy siento los ojos del mal sobre mí y sé que, ahora que estaba a punto, no podré cumplir con mi cometido.

He descubierto cómo y cuándo cerrar la caja, pero mi dolor es no tener tiempo suficiente para encontrarla. Ahora ya es demasiado tarde para mí. Por eso escribo estas letras en el metal más duradero, para que puedan sobrevivir al tiempo y sirvan de guía a nuevos buscadores.

Sé que me queda poco tiempo, los espíritus de la noche vienen a buscarme. Desde que ha nacido el día siento los ojos del mal sobre mi alma y sé que, si quiero salvarla, tendré que estar muerto antes de que se ponga el sol. Estad alerta, futuros buscadores: ¡si queréis salvar el alma tenéis que perder la vida voluntariamente!

Yo, he llegado hasta aquí. El resto del camino os toca recorrerlo a vosotros. Para cerrar la caja deberá ir un hombre solo y hacerlo, únicamente, en el momento en el que la luz venza a la noche, entonces ellos no podrán haceros nada. Sólo así podréis cerrarla. El lugar, no obstante, lo tenéis que descubrir vosotros. Sé que está cerca de este lugar en el que me encuentro, de este santuario bajo el cual enterraré el Plomo para que sea encontrado por futuros buscadores. Únicamente puedo deciros que la caja tiene que estar escondida en un lugar alto, en un lugar que sólo tenga por techo *el cielo y donde la oscuridad sea infinita cuando muera el sol. Este Plomo ha de ser, pues, la clave para cerrar la caja de Pandora. Utilizadlo para cerrar la caja y que los buenos dioses os guíen.*

Cuando Enric acabó de leer la carta, se la entregó al sacerdote. Éste la leyó más pausadamente que los otros dos. Mientras, Enric y el librero se miraban en silencio, sonriendo, esperando.

—¡Tenemos que encontrar el Plomo! —dijo finalmente el sacerdote.

Estaban totalmente exultantes, bromeaban y no ocultaban su alegría. Fue el viejo librero el primero en volver a la realidad.

—Será mejor que no echemos las campanas al vuelo. Si hacemos caso del documento, necesitamos el Plomo para poder cerrar la caja y no hace falta que os diga que ha desaparecido. Además, todavía no sabemos dónde está escondida la caja. No hemos dado más que el primer paso.

Pero Enric y el padre Bontempi no querían que nadie les aguara la fiesta. Miraban el papel y lo releían sonrientes. Apenas escuchaban al viejo librero. Después, más calmados, se dieron cuenta, también, de que aquello no significaba nada. No sabían dónde estaba la caja, ni dónde estaba el Plomo.

El padre Bontempi decidió que viajaría con ellos a Alcoy. Parecía evidente que era allí donde se tenían que trasladar para iniciar la búsqueda. Primero el Plomo, después la caja. Si habían sido capaces de descubrir un enigma oculto desde hacía dos mil años, debería ser más fácil descubrir los dos escondites, por lo menos en teoría.

Pasaron dos días en Roma. El padre Bontempi tenía que arreglar un par de *asuntos* antes de abandonar el Vaticano. El viejo librero sonrió mientras el capellán se lo explicaba en italiano. Enric no se enteró prácticamente de nada, apenas podía entender algunas palabras sueltas, pero le pareció que hablaban de informar al Papa.

Para Enric, el viaje de regreso no fue mejor que el de ida. No sólo por la angustia que le provocaba el avión; ahora, además, si lo que decía el librero era cierto, *ellos* conocían su existencia, de manera que estaba en peligro. Por eso, al divisar las montañas de Alcoy, sintió un escalofrío que le recorrió todo el cuerpo. Tenía miedo, mucho miedo.

29

La vieja y polvorienta estancia escondida tras la librería parecía todavía más pequeña y agobiante ahora que eran tres los reunidos alrededor de la diminuta mesa. El librero, como novedad, después de los habituales movimientos de mirar a los dos lados y cerrar la puerta, los había obsequiado con un café de sabor poco acertado.

–Ahora debemos pensar en la forma de encontrar el Plomo –dijo cuando se acabaron aquel líquido de color oscuro que se empeñaba en llamar café.

–¿Cómo lo podremos encontrar? –preguntó Enric.

–Podemos jugar con dos hipótesis –dijo el sacerdote–. Si es cierta la teoría de la policía y unos ladrones internacionales han robado la pieza, nuestros contactos en todo el mundo la descubrirán y no tendremos ningún problema para recuperarla. El dinero no es ningún obstáculo para algunos de nuestros amigos y ahora que estamos tan cerca del final aún menos. La segunda hipótesis no es tan sencilla. Puede que Robert

Costa consiguiera descifrar el mensaje del Plomo, se asustara y robara el Plomo por miedo a que *ellos* también consiguieran descubrir lo que decía y lo hicieran desaparecer. Si es así tenemos un problema serio porque, por lo visto, ellos lo descubrieron y Robert Costa, que conocía el contenido del Plomo y sabía que podría perder el alma, tuvo que suicidarse, supongo que después de esconder el Plomo. Ésta será pues nuestra misión, pensar que el Plomo lo escondió Robert Costa y, si es así, descubrir en qué lugar.

–¿Y por dónde empezamos? –preguntó Enric.

–Evidentemente por su casa. Tenemos que pensar dónde lo pudo haber escondido y buscar alguna pista.

Enric siempre había sido una persona de lo más normal. Su vida, hasta los últimos meses, había tenido pocas emociones y se consideraba un ciudadano respetable y honrado. Por eso, cuando vio al padre Bontempi, con sotana incluida, forzar la puerta de la casa de Robert Costa, se le rompieron muchos de sus esquemas. Aquello parecía increíble.

El padre Bontempi lo hizo con toda la naturalidad del mundo. Sacó una especie de navaja pequeña y, con gran habilidad, la introdujo en la cerradura. Al instante, se oyó el sonido característico de la apertura. El padre sonrió y les cedió el paso. Enric no salía de su asombro.

La casa había ido acumulando suciedad durante los últimos días. La falta de limpieza había cubierto con una ligerísima capa de polvo los muebles del piso y todo tenía un aspecto un poco fantasmagórico. El padre Bontempi les hizo ponerse unos guantes de goma para no dejar huellas.

Recorrieron la casa y registraron todos los lugares donde pensaban que podía haber alguna pista. Enric no pudo evitar sentir un temblor al entrar en el cuarto de baño donde se había suicidado Robert. Ninguno de los tres creía que el Plomo estaba en aquel piso, pero los tres tenían la esperanza de encontrar algún indicio que les llevara a descubrirlo. Finalmente, fueron al despacho. El ordenador presidía la mesa, a su lado había una fotografía de Robert Costa en las excavaciones de La Serreta. El padre Bontempi encendió el ordenador rápidamente y comenzó a saltar de pantalla en pantalla a una velocidad que Enric difícilmente podía seguir con los ojos.

—¡Él lo sabía! —dijo el sacerdote tras unos minutos.

—¿Cómo? —exclamaron Enric y el librero al mismo tiempo.

—Mirad —señaló la pantalla del ordenador—. Aquí podemos ver que existía un archivo con el nombre del Plomo, y este archivo fue borrado el mismo día de su muerte, justo unas pocas horas antes.

—¿Y se puede recuperar? —preguntó el librero.

—No lo sé. Si después de borrarlo no se ha escrito encima, todavía existe la posibilidad de que hubiera quedado almacenado en el disco duro. Lo intentaré.

El sacerdote se sacó de debajo de la sotana un disquete y lo introdujo en el ordenador. Después, se puso a teclear. Utilizaba el ordenador a una velocidad endemoniada. Su rostro viejo, casi anciano, tenía un aspecto extraño iluminado por la luz de la pantalla. Sonreía feliz como un niño.

—¡Ya lo tengo! —exclamó.

Vieron cómo, poco a poco, iba tomando forma un documento: letras y letras poblaban la pantalla.

—¡Aquí está!

Empezaron a leer los tres a la vez. Las primeras hojas del documento eran un estudio muy complicado y técnico sobre las grafías íberas, su evolución y los significados ocultos; después, el documento hablaba de las distintas interpretaciones que se habían dado. Finalmente, el autor intentaba descifrar, uno a uno, los signos del Plomo. Sólo en las últimas páginas del texto encontraron lo que querían. Cerraba el documento una traducción del texto casi idéntica a la que ellos tenían. Robert Costa también había descubierto el enigma.

Enric y el librero se miraron. Ahora todo adquiría otra dimensión. El conservador del museo también había descifrado la información del Plomo y estaba claro que lo había escondido. Tendrían que descubrir dónde, y no sería fácil. Y, además, éste no era el único problema para Enric, ahora tenía la certeza de que Robert Costa también se había suicidado cuando los demonios habían ido a por él y eso le afectaba mucho. Comenzaba a sentir pánico.

30

—Imaginad que sois Robert Costa y que queréis esconder el Plomo, ¿dónde lo haríais?

Estaban los tres en el viejo escondite del trasfondo de la librería. El café seguía estando malísimo pero a la tercera taza, y con unas gotitas de coñac, el sabor dejaba de ser lo más importante. El humo de los eternos cigarrillos que fumaba Enric empezó a formar una tenue neblina sobre la sala. Llevaban tres horas seguidas sin salir de allí dentro. Los tres estaban sentados a poca distancia.

—Es la enésima vez que nos hacemos la misma pregunta —refunfuñó Enric—, y no sacamos nada en claro.

—Hagamos balance de lo que sabemos —dijo el capellán—. Es evidente que no puede estar escondido muy lejos. El poco tiempo transcurrido entre el robo y el suicidio lo demuestra. Además, durante aquellos días, él fue al museo, por lo tanto, podemos descartar la opción de un escondite lejano.

—Si hubiese estado en su casa, o la policía o nosotros lo habríamos encontrado —dijo el librero.

—Entonces lo que descartamos es la casa y el extranjero —bromeó Enric.

Ninguno de los dos le rió la gracia. Estaban totalmente concentrados intentando resolver aquel problema.

—¿Robert Costa tenía coche? —preguntó el capellán.

—Creo que sí —respondió Enric—, todo el mundo tiene.

—Pues deberíamos echarle un vistazo, quizá encontremos alguna pista.

El padre Bontempi utilizó sus contactos y a la mañana siguiente ya sabían cuál era el coche de Robert Costa y dónde se encontraba. En espera de entregarlo a la familia, estaba aparcado en las dependencias de la grúa. En aquella ocasión, el capellán no quiso que fuesen todos, prefirió la compañía de Enric a la del librero. Esa misma noche, los dos forzaron la entrada del garaje municipal.

El coche de Robert Costa, un Ford algo antiguo, estaba en uno de los rincones del enorme recinto. Con la misma habilidad de la otra vez, el padre Bontempi abrió una de las puertas del vehículo. Entraron y lo registraron a fondo. Realmente, allí había poco que ver. En la guantera, los papeles del seguro del coche; en el resto, polvo y más polvo. Después, el capellán abrió el maletero y llamó a Enric, que todavía estaba hojeando los papeles del interior.

—Mira. Creo que esto sí que es importante.

Enric se acercó. Dentro del maletero había una pala pequeña de las de campo, con restos de tierra en la punta.

—Así que enterró el Plomo —dijo Enric.

—Sí, pero ¿dónde?

El capellán cogió una pequeña muestra de la tierra que había en la pala y se marcharon del garaje.

El librero los esperaba impaciente en la librería. Vista desde fuera, daba la sensación de estar cerrada como siempre, pero Enric y el padre sabían que el viejo estaba dentro. Apenas habían llamado suavemente a la puerta, cuando apareció la cara del librero.

—¿Cómo ha ido? ¿Habéis descubierto algo?

—Enric te lo contará, yo tengo que llevar una cosa a analizar.

El librero escuchó con atención. El relato lo dejó muy intranquilo. No paraba de dar vueltas por la pequeña habitación, pero, a la vez, estaba contento, aquello avanzaba hacia la resolución del enigma. Después de comentar durante un rato las distintas posibilidades que abría el hallazgo de la pala, Enric volvió a preguntarle al librero sobre lo que le interesaba.

—Hay algunas preguntas que quiero hacerle desde hace días, desde la conversación en el avión —Enric encendió un cigarrillo—. Usted me habló de las fuerzas del mal y me dijo que para acabar con *ellos* era necesario cerrar la caja; pero si no es así, ¿no se puede matar a los demonios de ninguna manera?

—Si están en estado puro, es decir, como espíritus, no hay manera de matarlos si no es cerrando la caja; pero si han tomado forma humana porque le han robado el alma a un cuerpo humano, se les puede matar cortándoles la cabeza.

—¡La cabeza!

—Sí, es la única manera de que desaparezca el espíritu del mal. Piensa que el cuerpo de esa persona, realmente, ya está muerto, sólo es un alma demoníaca la que lo mantiene en pie.

—¡Es totalmente increíble! Hay momentos en que me lo creo, pero hay momentos en que pienso que son todos un hatajo de enfermos.

—¿Aún te permites el lujo de dudar? ¿Es que no has visto bastante estos últimos días como para estar más que convencido? —gritó el librero.

—Si todo es como usted dice, ¿por qué no me han atacado a mí los espíritus del mal? ¿No saben ya que yo soy el elegido por Jaume Clos? ¿A qué esperan entonces? —gritó también Enric.

El librero se quedó en silencio unos instantes, después, más calmado, continuó:

–Hace días que también yo me lo pregunto. Ellos lo saben, de eso puedes estar seguro, pero no acabo de entender por qué no han ido a por ti. No lo sé, quizá les eres más útil vivo que muerto. De todas formas, no te confíes, lo saben y si no ponemos fin a este asunto, una noche los verás aparecer y, desde ese momento, ya no verás nada más, te lo aseguro.

31

—Tierra constituida por rocas detríticas, criptocristalinas, formadas esencialmente por silicatos de aluminio hidratados, con algunos elementos calcáreos y sin restos de vegetación, sólo elementos polinizadores de la familia de las labiadas, seguramente *Teucrium polium*.

—¿Puede traducir todo eso? —dijo Enric.

Estaban en casa de Enric. Habían decidido reunirse allí huyendo de la estrechez de la trastienda de la librería y del horrible café del librero. Ahora, tal y como estaban las cosas, era totalmente inútil disimular y esconderse.

El viejo capellán volvió a mirar el papel donde estaba apuntado lo que acababa de leer, después hizo un gesto de desesperación con la cabeza y tradujo.

—Tierra un tanto arcillosa y polen de tomillo. ¿Y tú eres profesor?

—Sí, de literatura —contestó Enric un poco molesto.

—Si los análisis son correctos no hemos avanzado demasiado —dijo el librero poniendo paz—.

Toda la comarca está básicamente formada por zonas arcillosas llenas de tomillo.

—Sí, pero al menos nos confirma que no está lejos de aquí.

—¿Están realmente seguros de que es necesario encontrar el Plomo para cerrar la caja? —preguntó Enric.

—¿Qué quieres decir? —preguntó el librero.

—He estado releyendo la traducción que tenemos y no acierto a descubrir por qué tenemos que tener el Plomo en nuestras manos para poder cerrar la caja. Quizá una vez traducido el texto, el Plomo sea un objeto inútil. Si es así, deberíamos centrarnos en descubrir el escondite de la caja y en la manera de cerrarla.

—Pero la traducción dice que utilicemos el Plomo para cerrar la caja.

—Sí, pero puede referirse sólo a que utilicemos lo que dice, y no el objeto en sí.

El librero y el capellán se quedaron en silencio unos instantes.

—No podemos arriesgarnos —dijo finalmente el capellán—, ahora que estamos tan cerca tenemos que encontrar el Plomo de una vez por todas.

El capellán había llevado un mapa geológico de las montañas que rodeaban la ciudad de Alcoy. Encima de las que tenían las características geológicas

y florales que correspondían a los restos encontra-
dos en la pala de Robert Costa, el padre Bontempi
había hecho una marca con un rotulador negro.
La gran mayoría de las montañas respondían a las
características del informe.

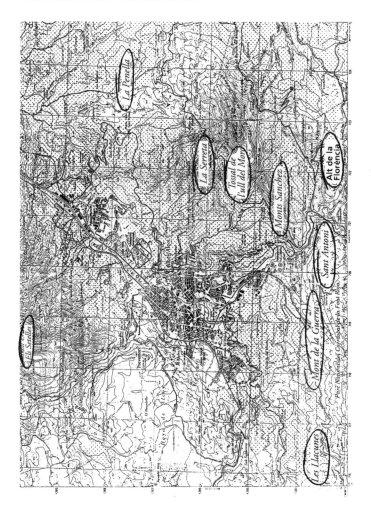

Los tres miraban el mapa un tanto confusos, intentando descubrir por dónde empezar a buscar. De repente, Enric dijo:

—¡Miren! —y señaló una de las cruces del mapa.

—La Serreta —dijo el librero.

—Sí. ¿Y si Robert Costa hubiese escondido el Plomo en el lugar donde fue hallado?

—Es imposible —negó el capellán—. No es lógico.

—Por eso mismo —continuó Enric—. ¿A quién se le ocurriría pensar que el Plomo robado está en el lugar donde se encontró? ¿No se lo pueden imaginar? Robert Costa, desesperado, no sabe dónde esconder el Plomo, ¿por qué no hacerlo en un lugar que él conocía bien y donde nadie lo buscaría? Además, el Plomo dice dónde iba a esconderlo el buscador y Robert Costa sabía lo que decía el Plomo, ¿por qué no hacer él lo mismo que más de dos mil años antes había hecho el buscador?

El librero y el capellán se quedaron en silencio, sorprendidos. No sabían si aquella idea era una tontería o una genialidad. Finalmente el capellán reaccionó:

—Es tan increíble que puede que hasta tengas razón. Tenemos que ir a comprobarlo.

32

El ascenso lo hicieron poco a poco por culpa del librero. Enric, pese a alguna tos, provocada más por el tabaco que por el constipado, aguantaba bastante decentemente detrás del impulso imparable del capellán vestido con ropa deportiva. El sol, especialmente fuerte aquella mañana, empapaba la ropa de los caminantes de un sudor pegajoso.

Tardaron más de una hora en llegar arriba, el camino se hacía cada vez más duro a medida que ascendían. A la espalda, cada uno llevaba una mochila con una pala similar a la que habían encontrado en el coche del conservador del museo, y una cantimplora con agua que periódicamente se llevaban a los labios el profesor y el librero. El capellán no necesitó beber ni una gota.

En lo alto de La Serreta no había nadie. A media mañana de un martes no era muy probable encontrarse a ningún excursionista tan arriba. Los tres se alegraron de su soledad, eso les permitiría trabajar más tranquilos sin tener que responder a preguntas impertinentes.

—El Plomo estaba enterrado entre los restos de la construcción que hacía de templo –dijo el capellán cuando llegaron arriba–. Tenemos que encontrar cuál es.

A simple vista todos los restos se parecían. Las ruinas rectangulares de las edificaciones que se conservaban semiexcavadas parecían tener la misma estructura. Finalmente, en uno de los laterales, encontraron una forma diferente a las demás. Una zona más alejada y más grande que las otras.

—Tiene que ser aquí –dijo el capellán–. Lo sé.

El sitio para excavar era de unos treinta metros cuadrados. El librero y Enric resoplaron. El calor y el cansancio les habían matado el optimismo de la aventura. El capellán, por otra parte, se había quitado la camisa y, a pecho descubierto, había empezado a excavar rápidamente.

Los otros dos lo siguieron con desgana. Tácitamente, se habían dividido la zona en tres partes. A un lado el librero, en el centro el padre Bontempi, y al otro lado Enric, que también se había quitado la camisa.

Al cabo de unos minutos, Enric empezó a desesperarse. Estaba cansado, sudaba sin parar y sentía cómo le quemaban las manos. Al día siguiente las tendría destrozadas si no paraba de cavar. Aquella idea suya de que el Plomo pudiese estar escondido en el santuario de La Serreta le parecía, cada vez más, una tontería.

Cuando estaba a punto de rendirse, el capellán gritó:

—¡Aquí hay algo!

El librero y Enric se acercaron rápidamente a donde estaba el eclesiástico. Éste, ahora de rodillas, apartaba con las manos la tierra que rodeaba una caja, al parecer de madera. Cuando le hubo quitado la tierra, se quedó un momento mirándola. Después la destapó.

En el interior había un objeto de forma rectangular envuelto en bolsas de plástico y papeles. Cuando el capellán lo desenrolló del todo, se encontraron con lo que esperaban: el *Plomo de Alcoy*.

—¡Ya lo tenemos! —gritó el capellán levantándose del suelo—. ¡Por fin!

A su lado, Enric también gritaba y daba saltos de alegría. De repente, se paró y miró al librero. El viejo no se reía, no saltaba, estaba mirando fijamente una cosa. Enric le siguió la mirada: el librero miraba al capellán. Pero ¿por qué? ¿Qué miraba?

Enric volvió a mirar al librero, en su cara se reflejaba el miedo, el pánico. Siguió de nuevo la mirada y, esta vez, sí se dio cuenta del motivo.

En el centro del pecho, el padre Bontempi tenía una marca roja, la misma marca que Enric había visto en el pecho de Joan Peris el día que murió, la misma marca de la que habían estado hablando en el avión, la marca de los que han perdido el alma.

El padre Bontempi continuaba sonriendo con el Plomo en la mano y no se había dado cuenta de nada. Cuando notó el silencio, miró al librero y lo comprendió todo.

Fue durante un instante. Todo cambió. Los ojos del capellán se tornaron de una oscuridad infinita, del color de la noche más profunda, del color de los infiernos. La cara empezó a deformarse a la vez que se abalanzaba sobre el librero. Tenía dibujada en el rostro la cara de la muerte. Se oyó un grito espeluznante.

33

El golpe fue certero. No se podía saber de dónde había sacado tanta fuerza, pero la cabeza del anciano rodó por los suelos. Enric miró el rostro lívido del librero. Parecía que la vida se había escapado de su piel en un instante. En el suelo, el cuerpo sin vida y partido en dos del capellán los separaba. Enric todavía conservaba en las manos la pala ensangrentada que había utilizado como arma.

—¡Dios mío! —dijo el librero entre sollozos—. ¿Está muerto?

—Creo... creo que sí —balbuceó Enric al acercarse al cadáver.

Con un pie golpeó suavemente el cuerpo del capellán. La cabeza, no se atrevía casi a mirarla. Estaba a unos dos metros del resto del cuerpo y conservaba en las pupilas la negrura maléfica de los demonios.

—¿Y ahora qué hacemos? —preguntó Enric—. He matado a un hombre.

El librero respiró hondo, intentando recuperar la calma.

—No has matado a ningún hombre, has matado a un demonio... Dios mío, ¡es increíble! Ahora ya sabes por qué no habían ido a por ti, te tenían controlado con el padre Bontempi y no lo necesitaban. Pero todo ha cambiado. ¡Tenemos que darnos prisa!

—¿Qué hacemos con el cadáver? —dijo Enric mirando el cuerpo sin vida del que un día fuera el padre Bontempi.

—Tenemos dos palas. ¿Qué crees que debemos hacer?

Enterraron el cadáver en el mismo sitio en el que se encontraban. Lo hicieron para aprovechar la tierra removida y porque no se veían con ánimos de trasladarlo a otro lugar. En pocos minutos lo tuvieron todo resuelto. Después, cansados y con el Plomo en la mochila, iniciaron el camino de descenso de la montaña.

Se fueron a casa a ducharse y a cambiarse. Decidieron reunirse, más tarde, en la librería. Aquel lugar escondido les parecía ahora, no sabían por qué, más seguro. Cuando llegó Enric, el librero estaba allí con el Plomo encima de la mesa y leyendo la traducción.

—Ahora tenemos que encontrar el lugar donde está escondida la caja. Y no tenemos demasiado tiempo —dijo el librero.

—Si no han podido descubrir el escondite en tanto tiempo, ¿cómo cree que lo conseguiremos usted y yo en un momento?

—La diferencia es que nosotros tenemos pistas claras. He estado mirándolo, fíjate en lo que dice el Plomo: «Sé que está cerca de este lugar en el que me encuentro, de este santuario bajo el cual enterraré el Plomo para que sea encontrado por futuros buscadores. Únicamente puedo deciros que la caja tiene que estar escondida en un lugar alto, en un lugar que sólo tenga por techo el cielo y donde la oscuridad sea infinita cuando muera el sol». Es decir, sólo puede ser en la parte alta de una montaña cerca de La Serreta, donde hemos encontrado el Plomo. ¿De acuerdo?

—Sí —convino Enric.

—No hay tantos lugares elevados en los alrededores.

El librero tenía sobre la mesa los mapas que habían consultado con el padre Bontempi. En silencio, echaron una ojeada a todas las montañas circundantes de Alcoy, cualquiera de ellas podía tener escondido el secreto mejor guardado de la historia de la humanidad. Estaban a un paso de descubrirlo, pero ¿cuál era el camino?

—Tiene que ser el Preventorio —dijo Enric.

—¿Por qué?

—No puedo creer que Jaume Clos fuese allí solamente a suicidarse. En aquel lugar debe de haber alguna cosa que despertó el interés de mi compañero. Jaume Clos no fue al Preventorio a suicidarse, sino a encontrar la caja. Él sabía que estaba allí, pero algo falló. Busquémosla en la cima del Preventorio. ¿Dónde si no?

—Quizá tengas razón —murmuró el librero mirando el mapa geológico—. Cumple todas las características que explica el Plomo.

—Entonces, vamos al Preventorio —dijo Enric.

—No es tan sencillo, mira lo que dice el texto: «Para cerrar la caja deberá ir un hombre solo y hacerlo, únicamente, en el momento en el que la luz venza a la noche, entonces ellos no podrán haceros nada. Sólo así podréis cerrarla». Por lo tanto, tiene que hacerlo un hombre solo, y ese hombre seré yo.

—¿Por qué usted y no yo? Soy más joven y más fuerte.

—Creo que sé mucho más que tú de estas cosas. Si hay algún problema, sabré resolverlo.

—Pues hoy el problema lo he resuelto yo.

—No hace falta que te hagas el valiente conmigo. Si lo piensas, verás que tengo más conocimientos sobre este tema y es lógico que sea yo quien vaya. Tendremos más oportunidades.

Enric aún refunfuñó un par de veces más. Le molestaba quedarse fuera de la resolución final del problema después de todas las cosas que había pasado, pero finalmente aceptó.

—Lo que no acabo de ver claro es eso de «únicamente en el momento en el que la luz venza a la noche». ¿Qué querrá decir?

—Está claro que se trata del amanecer. Mañana por la mañana, cuando nazca el día, yo cerraré la caja de Pandora.

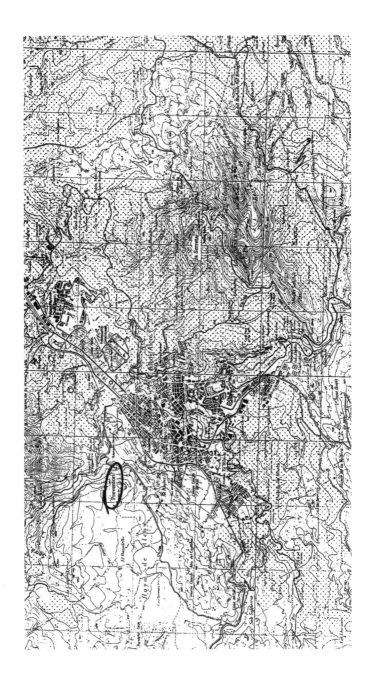

34

Pasaron el resto de la tarde preparándose. Decidieron que Enric acompañaría al librero hasta el pie de la cruz, hasta donde se podía subir en coche. Después, Enric se volvería a casa a esperar acontecimientos.

El viejo librero parecía haber rejuvenecido veinte años y haber olvidado los luctuosos acontecimientos de la mañana. Mientras se preparaba la mochila canturreaba distraído. Enric lo observaba fijamente. Si se paraba a pensarlo, todo aquel asunto le parecía increíble; pero ahora creía totalmente en la historia de Pandora. Había visto las marcas, el Plomo, la mirada del capellán, su rostro... Ni siquiera se sentía mal por haber matado a un hombre: sabía que aquello que había matado no era humano.

Por eso, tampoco se asustó demasiado cuando el librero sacó, de una caja disimulada entre los libros, dos pistolas. El viejo comprobó que estuviesen en buen estado y colocó las balas. Seguidamente, metió una de las pistolas en la mochila, en el bolsillo lateral, para tenerla bien a mano. La otra, se la dio a Enric.

—No creo que me haga falta —dijo el profesor.

—Si por algún motivo yo fallase, ten por seguro que irán por ti. Si eso pasa... no quiero que pierdas nada más que la vida.

Enric cogió la pistola. No sabía qué hacer con ella. Se la pasó de una mano a otra y, finalmente, la dejó encima de la mesa. Se sentía incómodo con ella en las manos.

Si la interpretación del librero era correcta, tenía que subir a cerrar la caja cuando acabara la noche. El sol salía sobre las siete de la mañana, así que decidieron que Enric acompañaría al librero hasta el pie de la cruz hacia las cuatro de la madrugada. Después, todo quedaría en manos del viejo.

No quisieron cenar, estaban demasiado excitados como para tomar otra cosa que no fuese el infecto café que preparaba el librero. A las cuatro en punto subieron al coche. El tráfico de Alcoy a aquellas horas era inexistente. La ciudad dormía en silencio ajena a los acontecimientos que estaban a punto de producirse. En el coche, ninguno de los dos hablaba.

Llegaron en pocos minutos. La tensión empezaba a notarse.

—Si quiere, puedo hacerlo yo —dijo Enric mientras observaba la distancia que había que recorrer hasta coronar la cima.

—Gracias —dijo el librero mirando también la cruz—. Lo conseguiré.

—¿Lo lleva todo?

—Linterna, un cuchillo grande, la pala, el Plomo, agua para el camino... y una pistola.

—Entonces, todo en orden.

No se dijeron nada más. Se dieron un abrazo y el viejo se encaminó hacia la cruz. Enric cogió el coche y, lentamente, emprendió el camino de regreso.

35

Paso a paso, el viejo inició el ascenso a la cima del Preventorio. No se apresuraba porque sabía que tenía mucho tiempo. Todavía faltaban más de dos horas para que despuntara el día, y tampoco quería precipitarse: realizar un ascenso a una montaña, de noche, a la luz de una linterna, tenía ya bastantes complicaciones.

De vez en cuando, el viejo levantaba la mirada y veía recortarse, tras la luna casi llena, la silueta de la cruz: el punto más alto del Preventorio. Una meta cada vez más cercana.

A medida que se acercaba al objetivo, los nervios aumentaban, y también aumentaba la dificultad de la ascensión. Tuvo que detenerse unos minutos para recuperar el aliento y beber un poco de agua. Sentía que sus fuerzas estaban casi al límite. Ya era demasiado mayor para aquellas actividades y era la segunda montaña que subía el mismo día. Aunque tenía la sensación de que los incidentes de la mañana habían pasado hacía siglos.

Miró el reloj: las agujas marcaban más de las cinco de la madrugada. Reanudó la marcha lentamente. Antes de llegar a lo alto, todavía hizo un par de paradas para recuperar el aliento y beber agua.

Faltaban escasos minutos para que rompiera el alba cuando el librero llegó a la explanada donde estaban la cruz y el santuario. Al Oriente, empezaba a aclararse un poco el espeso manto de la noche, pero allí todavía era de noche. La brisa nocturna soplaba suavemente en medio de aquella zona desierta.

Echó un vistazo intentando encontrar el lugar donde podría estar escondida la caja. Tampoco había allí tantos sitios que pudieran servir de escondite. Recordaba las palabras del Plomo: «en un lugar que sólo tenga por techo el cielo y donde la oscuridad sea infinita cuando muera el sol». Donde la oscuridad sea infinita cuando muera el sol, se repitió para sí mismo. La oscuridad es más intensa en el Oriente cuando muere el sol, porque como el sol va de este a oeste, allí ha dejado de iluminar antes. El librero se fijó en la parte más oriental de la cima. Allí había poca cosa: la ermita y una zona resguardada, excavada en la roca, donde colgaban algunas herramientas de labranza y poco más. Era evidente que la ermita no podía ser el lugar del escondite, porque era de construcción moderna; aún así, echó un vistazo a su interior con la linterna. Después, se acercó a la especie de cueva donde estaban las azadas y las hoces protegidas por una pequeña reja. Enfocó hacia allí. Era una pequeña cámara, con un palmo de agua en el suelo fruto de la humedad y de las lluvias. Las paredes laterales se veían negras y mojadas. La pared del fondo no consiguió verla por mucho que lo intentó alumbrándola con la linterna. Había un pequeño candado que impedía la entrada. El librero dio tal patada a la reja que desencajó las bisagras. Entró.

Los pies se le mojaron en cuanto dio el primer paso. Se sintió inquieto y palpó la pistola y el cuchillo que colgaba enganchado al lado de la pierna. Dirigió la luz hacia la pared del fondo, pero no consiguió ver el final. Parecía que aquella estancia no tenía fondo. Se encaminó, poco a poco y con mucho cuidado, hacia el interior. Fuera aún no había nacido el día.

Un sonido, como de dentro de la noche, lo atrapó. Sintió el cuchicheo estridente de miles de oscuridades acercándose a él. Sombras difusas, espectros infernales se aproximaban por todos lados en una procesión de muerte y desesperación. Venían a por él. Había fracasado, pero ¿por qué? Como surgidas de las sombras, las almas impenitentes lo rodeaban. Cogió el cuchillo y salió al exterior de la pequeña cueva. Le quedaban escasos instantes de vida y quería aprovecharlos. En un movimiento rápido, hizo una marca con el cuchillo en la piedra exterior de donde se encontraba. Cogió la pistola en el momento en que sentía cómo las sombras empezaban a forzar su pecho. Se resistió. Apretó la pistola sobre su cabeza en el momento en que los demonios iniciaban el camino hacia el alma. No pudo disparar.

36

Cuando Enric se despertó, estaba tumbado en el sofá. Tenía sobre él, asida con fuerza, una fotografía de su querida Beatriu. La noche anterior no había querido dormirse, pero el cansancio acabó venciéndolo. Había dormido pocas horas, pero no era una sensación de sueño lo que notó al despertar. Era una sensación extraña, incómoda, como si lo vigilasen. Enric supo que todo había salido mal y que el próximo en morir sería él.

No lo dudó ni un instante. El librero había muerto y ahora los demonios iban a por él. Se sintió mal por el viejo amigo que sabía muerto. A él, personalmente, no le importaba excesivamente morir, entendía que, de alguna manera, ya había muerto el día que murió su mujer. Lo que sí le importaba era haber dejado sin resolver aquel misterio, un misterio que parecía increíble y que quedaría, seguramente, sin resolver por toda la eternidad.

Él no sabía a quién pasarle el testigo de lo que sabía. No podía pedirle a nadie que aceptara aquella maldición como propia. Ni siquiera sabía qué iba a suceder exactamente. Esperaba que el librero hubiera sido más previsor que él y que hubiera dejado a algunos discípulos para continuar su labor... si es que aún era posible.

Si el librero y el padre Bontempi tenían razón, sin el Plomo no se podía cerrar la caja, y el Plomo estaba ahora, con toda seguridad, en manos de *ellos*. Dio una vuelta por la casa. Si no estaba equivocado, tenía de plazo hasta que el sol se pusiera. Compró un periódico para ver a qué hora era la puesta del sol. Éste se ocultaba a las 19.50, así que le quedaban unas veinte horas de vida.

En casa, cogió la pistola que le había dado el librero. Comprobó que las balas estuvieran en la recámara y se fue a su habitación. Cogió una fotografía de Beatriu y la miró. ¿Por qué esperar? Si, al fin y al cabo, tenía que dispararse un tiro en la cabeza igualmente, ¿por qué no ahora?

Con la pistola en la mano, pasó unos minutos. No sabía qué hacer. No tenía otra salida. Decidió mirar la copia de la traducción una vez más antes de disparar. La sensación de estar vigilado aumentaba y le hacía sentirse inquieto, incómodo, ahogado. Si el librero tenía razón, era necesario el Plomo, si no, aún quedaba una oportunidad. Quizá había tenido razón él y el Plomo era sólo la forma de acceder al lugar y de saber cómo cerrar la caja, pero si era así, ¿en qué se habían equivocado?

Enric comenzó de nuevo el razonamiento. Sentía que algo se le escapaba, pero no lograba saber qué. El Plomo proporcionaba tres pistas: el lugar, que Enric no dudaba que tenía que ser el Preventorio; quién tenía que cerrar la caja: un hombre solo; y en qué momento: cuando la luz venciera a la noche. Entonces, si el lugar era correcto, sólo podía estar mal la interpretación de aquella frase. Maldijo el lenguaje en metáforas a pesar de ser profesor de literatura, y se maldijo a sí mismo por no saber interpretar el enigma. ¿Cuándo vence la luz a la noche? Cuando sale el sol, pero aquello parecía que no había funcionado. ¿Cuándo más? ¿Cuándo más? De pronto se le ocurrió: ¡cuando hay luna llena!

Miró el periódico de nuevo, aquella noche había luna llena. Y salía a las 19.10, cuarenta minutos antes del anochecer. Quizá aún tenía alguna oportunidad.

La sensación de ahogo, de control sobre sí mismo, se volvió angustiosa. Si estaba en lo cierto, los demonios no atacarían hasta la noche, pero no podía desembarazarse de aquella sensación pesada que lo alienaba. Con la pistola en la mano decidió llevar a cabo la última tentativa. Preparó la mochila con las mismas cosas que el librero había dispuesto el día anterior: una linterna, un cuchillo, una pala, agua y, sobre todo, la pistola. Después comió y se sentó en una butaca a escuchar su música preferida con la fotografía de su amada Beatriu entre las manos. Si todo fallaba, antes de que naciera un nuevo día, estarían juntos.

37

A primera hora de la tarde cogió el coche y subió al Preventorio. A esas alturas, el peso y el pánico que sentía ya se habían convertido en un dolor mortecino que lo acompañaba. Aparcó al pie de la cruz, casi en el mismo punto en el que había dejado la noche anterior al viejo librero. Al recordarlo, Enric se entristeció un poco. Esperaba que, después de todo, hubiese tenido tiempo de matarse.

Inició el ascenso a buen paso. Aunque aún notaba las agujetas del día anterior. Quería llegar a la cima minutos antes de las siete, porque aún tendría que intentar encontrar el escondite de la caja. No paró en todo el camino, ni cuando en las últimas rampas sintió los músculos excesivamente tensos.

Llegó a la explanada exactamente cuando quería. Todavía quedaban más de cincuenta minutos para que anocheciera y la luna aún no había salido, pero ya se notaba el suave declive del sol. Tocó la pistola y se tranquilizó. Había llegado la hora de la verdad. Su corazón latía con fuerza.

Buscó en los posibles lugares donde podía estar oculta la caja. En aquella zona no había, realmente, demasiados escondites, pero debía apresurarse. Se acercó a la ermita y entró. Aunque aquélla no parecía, la entrada de ningún sitio. Dio una vuelta por el interior de la pequeña capilla y después se dirigió a la cueva que había junto a la ermita. Echó un vistazo y tampoco vio nada que le hiciera pensar que aquél era el lugar donde estaba escondida la caja.

Había una reja que cubría la entrada, pero parecía sacada de las bisagras, estaba como superpuesta. Se dio la vuelta y echó un vistazo general. No podía ser la ermita, ni tampoco...

De pronto lo vio. En el exterior de la cueva había una marca. Cuando se acercó sintió que el vello se le erizaba. En la pared, estaba grabado el signo de Pandora, el mismo símbolo que había encontrado en la carta de Jaume Clos y en el *Plomo de Alcoy*. Se fijó mejor. Aquello no parecía hecho hacía dos mil años, sino pocas horas antes. Pasó el dedo por la marca y encontró, todavía, restos del polvo que había soltado la piedra. Enric pensó en el viejo librero. Sin duda, lo había hecho él.

Así que, pensó Enric, ésta es la entrada al escondite de la caja de Pandora. Miró al cielo, al suroeste aparecía la luna, poco visible, difuminada por la luz del sol, que todavía no se había escondido, pero ya presente.

—¡Ahora es el momento! —dijo en voz alta.

Empujó la reja de hierro y la derribó sin ningún problema. Encendió la linterna e iluminó la entrada de la cueva. Vio las herramientas que el día anterior había observado el librero, y tampoco les hizo caso. Entró.

El agua del suelo le empapó los pies. Alumbró el reloj con la linterna. Si el periódico no estaba equivocado tenía apenas treinta y cinco minutos para cerrar la caja de Pandora. Después, y esto lo sabía perfectamente, los demonios le atacarían.

Se encaminó hacia el interior. A medida que iba descendiendo, la humedad era más profunda, más intensa, y la oscuridad cada vez mayor. La ropa de Enric estaba ahora adherida al cuerpo por el agua de la cueva y por el sudor frío que lo empapaba. A los pocos metros, tropezó con algo y cayó en la oscuridad húmeda del suelo. Cuando iluminó lo que le había hecho tropezar descubrió el cuerpo del librero. El viejo yacía en un lateral, con los ojos mirando al cielo. Enric se fijó y observó que no tenía heridas de bala. Le abrió la camisa y vio, en el centro del pecho, la misma marca que había visto antes en el cuerpo de Joan Peris y del padre Bontempi. Preso de la cólera, cogió con una mano la pistola y con la otra la linterna. Él no quería perder el alma, antes se mataría.

Fue adentrándose cada vez más en la cueva. Durante unos instantes, perdió la noción del tiempo, no pensaba, no tenía miedo, ni siquiera se preocupaba por aquella sensación espesa de sentirse observado. Realmente no sentía.

No sabía cuántos minutos habían pasado cuando llegó a un punto en el que se ensanchaba el camino. Aquel lugar tenía una luminosidad extraña, la luz de la linterna casi no era necesaria. Enric miró a su alrededor. Se fijó en que, en la parte superior de la cueva, había un agujero, una larga grieta por donde entraba la luz de la luna, marcando un camino estrecho por el que sólo cabía el cuerpo de un hombre. Continuó avanzando. Sentía a su alrededor numerosas presencias, como si estuviese rodeado, pero no podía ver a nadie. Pensó que, quizá, la luz de la luna sí que estaba protegiéndolo, y procuró no salir del haz de luz que se filtraba a través del techo, no quería quedar fuera de él. A pesar de ello, se sentía acompañado en aquel mundo oscuro... cada vez más acompañado. Paso a paso, la claridad fue haciéndose mayor, hasta que llegó a un lugar donde parecía que la luna se había convertido en sol. No dudó ni un instante en saber qué era aquella caja que había iluminada a pocos pasos de él. La había encontrado. La caja de Pandora estaba ante él.

Era el final de la cueva. Sobre una especie de altar de piedra descansaba una caja alargada. A los lados se veían numerosas inscripciones esculpidas en oro y metales preciosos que Enric no pudo entender, pero que resplandecían bajo el reflejo plateado de la luna. Era una caja bellísima, impresionante. Enric se quedó, durante unos instantes, mirándola extasiado. La caja, evidentemente, estaba abierta.

Enric sonrió. Aquello era el final de todos los males del mundo. El retorno al paraíso perdido... Se acercó a cerrarla.

—¡Enric!

Por un instante no supo si aquella voz había sonado en su interior o realmente la había oído. Se volvió lentamente, sin saber si creer lo que le decían sus sentidos.

—Enric, no. —Ahora la voz sonó más dulce, más cálida, tal como la conocía él.

La mirada de él se fijó en el rostro que acompañaba a aquellas palabras. Beatriu sonreía dulcemente.

Enric no podía articular palabra. Era su amada. Viva, tal como la recordaba cada día, cada minuto, cada segundo desde aquel día. Con el cabello suelto, con la mirada tan tierna, con la piel tan blanca. Enric no sabía si reír o llorar.

—No lo hagas, Enric, por favor. No lo hagas y podremos estar juntos de nuevo... para siempre.

38

Había demasiada gente. No habían podido entrar todos y una gran parte se había quedado en el exterior. Había sido imposible conseguir que todos cupiesen, a pesar de que ésta había sido la intención de los que esperaban fuera. En el exterior, nadie se atrevía a hablar y aguardaban impacientes. Todavía tuvieron que esperar unos minutos que, a la gran mayoría, se les hicieron interminables.

Después, por fin, se abrieron las puertas. Un aluvión de personas salió del recinto y se unió a los que esperaban fuera. Sólo rompía el silencio el vaivén de la gente. A los pocos instantes, salió la caja.

La llevaban entre seis hombres, porque el peso hubiera sido excesivo para un número menor de personas. A los portadores se les notaba en la cara la emoción del momento y tenían en el rostro un rictus entre orgulloso y afable. Cuando salió la caja, todos guardaron un silencio respetuoso. Era una escena que impresionaba. Entre la gente, había quien todavía se movía inquieto, e incluso había quienes, un poco supersticiosos, se santiguaban.

Después se inició una comitiva, larga, inmensa, como hacía años que no se veía. Delante, la caja. Detrás, acompañándola, personas de todas las edades, pero especialmente jóvenes que no podían reprimir la emoción que sentían. Únicamente las campanas rompían el silencio aquella tarde.

Finalmente, después de un largo camino, la caja llegó al lugar indicado. A su alrededor volvió a concentrarse todo el gentío que la había acompañado, además de algunos que estaban allí esperando.

En las primeras filas se veían rostros, especialmente, de los más jóvenes, empapados de lágrimas. No era extraño, delante de ellos empezaban a enterrar la caja en la que descansaba el cuerpo de su querido profesor, Enric, tristemente muerto de un infarto en la cima del Preventorio.